JN094356

Tomabechi Hideto

苫米地英人

超国家権力の正体

グレートリセットとは何か？

ビジネス社

はじめに

世界とは何か？
宗教とは何か？
国とは何か？
戦争とは何か？
そして超国家とは何か？

本書はこれらの疑問に対して、中世ヨーロッパと戦国時代（15世紀末から16世紀末）日本との激烈なかかわりあいをきっかけに探っていくものです。

近年、戦国時代の日本と大航海時代のヨーロッパとの関係、水面下での戦いがクローズアップされることが多くなってきました。それは単純に歴史の新しい捉え方、新解釈があるから、というだけでなく、現代にまでつながるグローバリズムの原点があるからでしょう。

例えば、イギリスやオランダなどの西ヨーロッパの国々でつくられた「東インド会社」と呼ばれる世界初の株式会社があります（資料によってイギリス東インド会社を最初の株式会社としたり、オランダ東インド会社をその端緒（たんしょ）とするなどさまざまですが、詳細は本文で）。これらは西ヨーロッパで集められた株主のためにインドや東南アジア一帯で商売を行いました……と言えば聞こえはいいですが、現実的には現地の人々を虐殺し、その土地の物的、人的資源を貪（むさぼ）り尽くしたのです。その私利私欲ぶり、強欲ぶりは、現代のグローバル企業の原点と言っても過言ではありません。つまり、グローバル企業はその始まりから強欲を剝（む）き出しにし、人を人とも思わぬ所業（しょぎょう）を続けてきたのです。

それが理解できれば、いまの彼らのやり方も納得できるでしょう。

例えば、ファイザーほかの巨大製薬会社がコロナワクチンを各国に販売する際、薬害等の問題が起きても一切責任を取らないなど自社に有利な条件でなければ販売契約を決して結ぼうとはしませんでした。果たして、彼らは自社の製品に自信がないのでしょうか？薬害が起きる可能性を薄々感じていたのでしょうか？

もしも、その上で、そういったワクチンを、責任を取らないという条件付きで売ったというのであれば、ファイザーほかの製薬会社は「その国の人々の健康などどうなろうと知ったことではない」と言っているのと同じです。「ワクチンは売ってやる。しかし、副作用で苦しんだり、死んだりしてもそれは製薬会社の責任ではない。ワクチンを打った人の責任だ」と同様のことを言っていることになり、まさに人を人とも思わない思考がそこにはあります。

巨大な兵器産業もそうです。彼らは世界中で戦争を起こそうと画策しています。理由は兵器を売るためですが、それによって何が起きるかを彼らはわかっているのでしょうか？戦地では多くの人の命が失われています。人々の平和な生活も破壊されています。兵器産業はそれをわかっていてもなお、兵器を売ることを優先します。これも人を人とも思っていないからこそできる所業なのです。

グローバル企業とは、もともとこういうものだったのです。そして、その強欲なグローバル企業の標的の1つにアジアが、そして戦国時代の日本がありました。

日本は彼らとどう向き合ったのでしょうか？

銀とスペイン

そして、もう1つ、この時代を語る上で決しておろそかにできないものがあります。それは銀です。

当時、日本には石見(いわみ)銀山、佐渡(さど)金銀山がありました。石見銀山の銀の産出量は17世紀前半で年間約40トンでした。また、佐渡には大小約30の金山、銀山があり、それらを合わせると17世紀前半は年間約30トンもの銀が産出されていました。このほかにも日本には大小さまざまな銀山があり、当時の日本は年間190トンもの銀を産出していたのです。世界全体の銀の年間産出量が約600トンの時代ですから、世界の3分の1が日本の銀でした。

一方、残りの銀はどこで産出したのでしょうか?

1545年、スペインの植民地ボリビアでポトシ銀山が発見され、翌年メキシコでサカテカス銀山が見つかっています。2つの銀山の発見によってスペインは年間290トンもの銀を産出するようになったのです。このうち、3分の2はスペイン本国へと運ばれ、残りの90トンはアジアへと運ばれたのでした。

これでわかる通り、当時、日本とスペインは銀の産出量をめぐって激しい競争を繰り広げていたのです。

奇しくも16世紀中期から17世紀後半にかけて日本にやってきたキリスト教の宣教師たちの多くがスペイン人あるいはポルトガル人でした。

戦国時代のアジアは、グローバリズム勢力と、宗教という名の国家を超えた勢力、そして銀が大量に流れ込むことによって、人々の欲望や陰謀が最高度に増幅されていたのです。

ただし、本書はそういった歴史を面白おかしく紹介するだけにとどまるつもりはありません。

歴史とは何か？　を改めて考えてみたいのです。

歴史の教科書などではよく「歴史は繰り返す」などと言います。

しかし、歴史は繰り返しなどしません。ずっとつながっているのです。そのつながりを見ていくことで、現在の社会が見えてくるのです。

では、現在の社会はどんな歴史とつながっているのでしょうか？

その答えのヒントになるのが、新型コロナウイルスをめぐる混沌とした諸事象であり、侵略です。16世紀と同様、グローバリズムと超国家的存在とマネーによって世界は動いているのです。しかも、その動きはかつての規模を遥かに超えています。

なぜ、いつまで経っても戦争は終わらず、超国家的存在の力は増し続けるのでしょうか？

なぜ、現代は16世紀のように貧富の差が広がり、持つ者と持たざる者がくっきりと分かれ、人間を奴隷のように従わせる勢力が力を持ち続けているのでしょうか？

本書はその謎を解き明かすために書きました。

さて、それでは、混沌と無秩序が交錯する、中世時代のアジア、ヨーロッパ、そして日本を改めて確認していきましょう。

超国家権力の正体

グレートリセットとは何か?——目　次

第1章　超国家の歴史

第2章　戦国大名とキリスト教

第3章　奴隷と資本主義

第4章　銀の時代

第5章 神と超国家

第1章　超国家の歴史

アジアに戦争をもたらしたヨーロッパ

第1章のスタートはオランダ東インド会社（Verenigde Oost-Indische Compagnie、略称VOC）からです。

1602年に設立された世界で最初の株式会社と言われるオランダ東インド会社はまさに経済のグローバル化と現代の超国家的権力の魁（さきがけ）と言っていい存在でしょう。

なぜならば、VOCは単なる株式会社ではなかったからです。彼らがオランダ政府から許可された権利には植民地経営権、他国との条約締結権があっただけでなく、城塞（じょうさい）建造権、交戦権、そして通貨発行権まで与えられていました。

そのまま一国とも言えるほどの権利を有しています。

こういったことを見るにつけ、ヨーロッパ人たちがいかに東洋を見下していたかがよくわかるでしょう。

なにしろ、単なる一私企業の自己判断で他国と条約を結ぶ権利や交戦する権利を与えているのです。

どれほど東洋の国々を後進国だと思っていたのでしょうか？

彼らのその自信の源は圧倒的な武力でした。

通常、商船団というものは武器を積んだり、兵隊を乗り込ませたりはしません。そんなものを積むよりは商品を積むほうが大切だからです。商売のための航海なのですから当然です。

ところが、ＶＯＣは違いました。

彼らは、数十門の艦砲(かんぽう)を搭載した数十隻のガレオン船艦隊を組んでインド洋へと向かったのです。乗組員には商人はもとより数百人の兵士が乗船しているのが普通でした。ＶＯＣはこの艦隊をインド洋各地の港町に進め、砲艦外交を展開していったのです。自分たちの意のままにならない人々には容赦なく艦砲射撃を行い、現地人が白旗を上げるとそこを植民地にし、通貨を勝手に発行して濡(ぬ)れ手(て)に粟(あわ)の儲(もう)けを企(たくら)んでいたのです。

だからこそ、植民地経営権、条約締結権、城塞建造権、交戦権、通貨発行権を付与されていたのです。

ＶＯＣには商取引を行おうという意思が最初から欠落していました。それほど彼らヨーロッパ人は東洋人を侮っていたのです。

「発見の時代」「探検の時代」

オランダ東インド会社VOCが設立された時代をヨーロッパ人たちは「Age of Discovery」もしくは「Age of Exploration」と呼んでいます。「発見の時代」あるいは「探検の時代」と認識しているわけです。

確かにヨーロッパ人の目から見れば、インドへの航海やアメリカ大陸への上陸は、新発見であり、探検の旅だったのでしょう。

しかし、裏を返せば、ヨーロッパ人があまりにも無知だったから、その目に映るものすべてが新発見に見えただけなのです。

では、なぜ、彼らはそれほど無知だったのか?

それは世界地図を見ればわかります。ヨーロッパはユーラシア大陸の西の端、far west に位置しています。15世紀当時、ヨーロッパのほうがまるごと未開の土地だったのです。

その証拠がバスコ・ダ・ガマです。

彼はヨーロッパからの東廻(まわ)り航路を開拓し、船でインドまで到達した初めてのヨーロッパ人でした。

ダ・ガマの船団はアフリカ大陸に沿って南下し、喜望峰を回った先の小さな港町、現在のモザンビークに立ち寄ります。

果たしてそこで彼らが見たものは豊かで活気に満ちた商人町でした。アフリカの国々を未開の地だと勝手に思い込んでいたダ・ガマたちは多くの人々で賑わう市場に圧倒されます。自分たちの故郷、ポルトガルよりも遥かに賑わっているのです。

オランダ東インド会社の旗

実は当時のインド洋及びその周辺地域はアラブ、インド、アフリカ、東南アジアの商人たちが盛んに行き交う巨大な商業圏でした。市場では金や銀、奴隷、象牙、絹、絨毯などの交易が盛んだったのです。

それでもダ・ガマたちにはポルトガル王の名代だというプライドがありました。よって港町の王とも接見し、贈り物をしようとするのですが、王が欲しくなるようなものが何もなく、突っ返されるという始末でした。ポルトガル人たちこそ未開人だったのです。

未開人扱いだったバスコ・ダ・ガマ

まさか自分たちが未開人扱いされると思ってもいなかったダ・ガマたち。そんな彼らにさらに恐怖が襲います。なんとその港町の人々の多くはイスラム教徒だったのです。

この時期、ダ・ガマたちの故郷イベリア半島ではレコンキスタを成し遂げたばかりでした。レコンキスタとはイスラム教徒に征服されたイベリア半島を奪還するため、７１８年から１４９２年までの約８００年間に渡って繰り広げられた戦争でした。

ダ・ガマたちがポルトガルを発ったのが１４９７年でしたので、レコンキスタが終わってまだ5年でした。そんな中でイスラム教徒だらけの港町に放り込まれたら、周りがすべて敵に見えてしまったのも致し方なかったでしょう。そのため、ダ・ガマたちは船を沖合に停めたまま港に入ろうともしませんでした。

しかし、インド洋は商売をするための海であり、町の人々にとって大切なのは取引です。取引相手の宗教がイスラム教であろうが、キリスト教であろうが、ユダヤ教であろうが、仏教であろうが、ジャイナ教であろうがどうでもいいことだったのです。

ですから、港町の人々は港に入ってこないダ・ガマたちの行動に戸惑っていました。「彼らは商売に来たのではなかったのか？」港町の人々が訝（いぶか）っていた矢先、突如、ダ・ガマの艦隊の大砲が火を吹いたのです。すべてのイスラム教徒が敵に見えるダ・ガマたちは港町を砲撃し、その後、銃を持って上陸すると住民を殺して水や食料の補給をし、港町を出ていったのです。

この事件によってインド洋一帯に、ポルトガルという国から野蛮人がやってきたという噂（うわさ）が広がるのです。

モザンビークを出たあとのダ・ガマたちは狂気の行動が止められません。イスラム系の商船を見つけては襲って船員を殺し、積み荷を強奪するなど、完全に海賊と化してしまうのです。

そうして各地で悪評を撒（ま）き散らしながらアラビア海に面した南西インドの代表的商業都市カリカットに到着します。目的地であるインドになんとかたどり着いたのです。

カリカットに上陸したダ・ガマたちは町のザモリン（支配者）との謁見（えっけん）を申し出ます。しかし、彼らの献上品を見たザモリンの家来たちは笑い出します。「それはザモリンへの贈り物ではない。この港町にやってくる最も貧しい商人でもそれ以上のものを持ってくる」と言われたその品々とは縞模様の布12枚、6個の帽子、6着の外套、洗面器6個、サンゴの首飾り4本、砂糖、油、蜂蜜でした。

カリカットはインド洋貿易の重要な中継基地として栄えており、当時のインド南部の王国ヴィジャヤナガル王国からも認められた自治都市でした。その都市のザモリンがそんなものを喜ぶわけがないのです。

しかし、ガマたちが差し出した献上品はポルトガル王が託した友好のための品であり、当時のポルトガルでは最高級品だったことも確かなのです。

この状況について歴史学者の羽田正氏は自著『東インド会社とアジアの海』（講談社）の中で、「この話（ガマの贈り物がお粗末だった話）はインド洋海域における交易の盛んさと富の豊かさ、それとは逆に当時のポルトガルやその周辺諸国の物質的な貧しさを如実に伝えている。」と書いています。

この指摘は重要です。当時のヨーロッパは未開の地であり、インド洋周辺国家であるインド、イスラム、アラブ、アフリカの諸国家こそ、高い文化と富を有していたという事実を頭に入れておいてほしいのです。

未開の地ヨーロッパ

そもそも世界の歴史においてヨーロッパは古代からずっと未開の地でした。古代ギリシャ、古代ローマの時代を思い出してください。文明と富は常にペルシャ、アラブといった北アフリカやインドからやってくるもので、現在のヨーロッパ諸国の中ではイタリア（つまりローマ）だけがかろうじて、その商業圏の中に組み込まれていました。アルプスを越えた向こう側、地中海の東側は野蛮人の住む土地だったのです。

さきほど話したレコンキスタにしても、イスラム文化をイベリア半島に伝えた文化・文明の観点から言えば、ヨーロッパにとっては、ある意味喜ばしいことでもあったかもしれないのです。つまり、レコンキスタはイスラム教徒がせっかくもたらした豊かな文化を壊すことをしていたとも言えたのです。

もちろん、レコンキスタは自らの土地を奪い返す戦いですから決して否定すべきことではありません。キリスト教徒である彼らがイスラムの文化を拒否し、駆逐するという行為は民族の自衛としては理解可能です。しかも、キリスト教徒としてはずっと失敗続きであった十字軍つまりキリスト教VSイスラム教の戦いにおいて、初めて実質的な勝利を手にした戦いでもありました。

ですから、ダ・ガマたちはダ・ガマたちで、自分たちのことを世界最強、最高のポルトガルからやってきた使者であると思い込むのも致し方なかったところもあったのです。ただし、残念だったのは現実はまったく違っていたということです。

何度も言うように、当時のインド洋は南アフリカの象牙や金、ペルシャの絨毯、乳香(にゅうこう)、インドの綿や宝石、中国の絹、陶器、東南アジア諸島の香辛料などを物々交換によって交易する中世時代、最大の商業海域でした。多種多様な民族と言語、宗教が渾然(こんぜん)一体となって、豊かな文化と秩序を形作っていたのです。住民の生活、知的水準もダ・ガマたちよりも遥かに高いレベルにありました。

ダ・ガマたちがまさっていたのはたった1つ、武器の威力でした。800年間も戦争を繰り返してきた彼らはずっと武力だけを磨いてきた民族です。彼らが誇れるものといえば、大砲と鉄砲という武器しかなかったのです。ですから、ダ・ガマたちは武器を最も効果的に使ったのです。それがモザンビークの港町でした。

では、カリカットではどうだったのでしょうか?

バスコ・ダ・ガマのインド航路

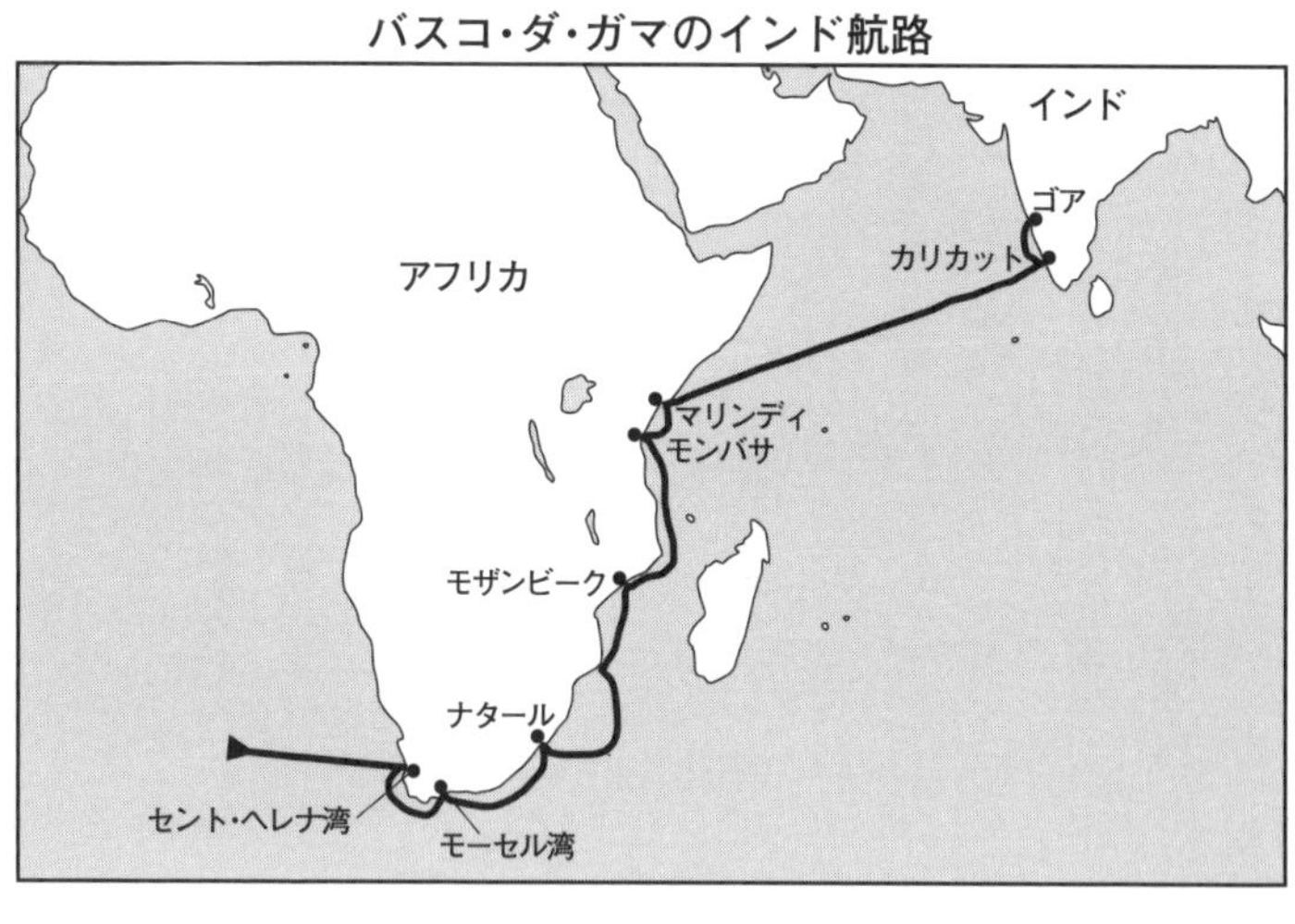

結論から言えば、このときは大したことはしませんでした。したくともできなかったのです。ダ・ガマの船団はポルトガルを出る時点で4隻であったのが喜望峰を回る前に1隻がはぐれ、カリカットに到着できたのはたった3隻でした。しかも、武器弾薬はモザンビークの港町や海賊行為で多くを使ってしまっています。残り少ない武器弾薬で、インドでも有数の商業都市であるカリカットを攻撃するのはさすがに無理だと考えたダ・ガマたちは、ポルトガルから積んできた商品を胡椒（こしょう）などの香辛料と交換すると、帰路に適した季節風も待たず、関税も港湾使用料も払わず、さらにカリカットの貴族数十人を拉致（らち）して出港します。

結局、ダ・ガマはインドとの友好な関係を築くどころか、海賊行為をしただけでポルトガルに戻ったのです。当然、意気消沈の帰国なのですが、ダ・ガマには一発逆転の結果が待っていました。

なんとカリカットで積み込んだ香辛料が購入費の60倍の値で売れたため、ダ・ガマは大富豪となったのです。さらに、ポルトガル王からはインドへの航路を開いた功績によって〝インドの提督〟という称号まで与えられました。

最悪のカブラル

ヨーロッパでは香辛料が同じ重さの銀と交換されたと言われていますが、なぜそこまで高値で取引されたのでしょうか?

生鮮食品の保存料として重宝されただけでなく、万能薬としても信じられていたので、それが値段高騰の理由になったとはよく言われることです。

しかし、それだけで同じ重さの銀と交換されることはありません。実は、香辛料の値段が上がった理由はもっと単純で、陸路で運ぶと仲介手数料が何度もかかるからです。

香辛料の原産地は今のインドネシアのセラム海とバンダ海に分布するモルッカ諸島です。

特に高額で取引されるナツメグやメースなどの香辛料はここでしか採れません。

これを喜望峰を回らないで運ぶ場合、モルッカ諸島からマラッカ諸島、マラッカからカリカット、カリカットから紅海入り口の港湾都市アデン、アデンからエジプトのカイロ、カイロからはヴェネツィアやフィレンツェの商人の手に渡り、ヨーロッパ全域に販売されます。

これでわかるように中継地が多く、そのたびに手数料が価格に上乗せされるのですから現地価格の60倍という事態が発生してもなんら不思議はないわけです。

ちなみに、フィレンツェのメディチ家は、この香辛料の商売で財を成しました（香辛料が薬として重宝されていたことはMedicineの語源がMedici＝メディチであることでもわかります）。たぶん、相当上乗せしていたのでしょう。

しかし、ダ・ガマがインドから帰ってきたことによって、香辛料は現地ではとても安く手に入ることがわかってしまいました。船を調達することさえできれば、インドとの貿易は大きな利益が出ることを誰もが理解してしまったのです。

ただし、当時、外洋航海できる大型船はすべて王の所有物でした。ポルトガル王マヌエル1世は香辛料貿易の旨味（うまみ）を独占しようと、すぐに次なる船団を組むことにしたのも当然だったでしょう。

2度目のインド行の命を受けたのはペドロ・アルバレス・カブラルで、彼は、13隻の船団に大量の武器弾薬を積んでカリカットへと向かいます。

ダ・ガマの船団もそうでしたが、ポルトガル人は基本的に交易をしようという意思がありません。インドの商人たちが何を欲しがっているのか？　どんな商品を持っていけば高く売れるのか？　を考えようとしないのです。

彼らが考えているのはただ1つ、イスラム系の商人たちを駆逐し、イスラム教徒を排除して、胡椒などの産物を独占することでした。だからこそ、彼らは武器弾薬を大量に積むのです。

そしてインドのカリカットに着いたカブラルは当然のように武器を使います。港にいた商船を手当たり次第に襲って総勢600人以上の乗組員を殺し、積み荷を奪います。カリカットの町を丸1日砲撃し、虐殺につぐ虐殺を行ったのです。

翌日、虐殺の反撃を恐れたカブラルは、カリカットの南の商都コーチへ一旦（いったん）逃亡し、その後、北上してカンヌールという商都で強引に香辛料を手に入れます。ただし、町の人々の報復を恐れていたカブラルは香辛料を積み込み終わると、港にまだポルトガル商人が残っているのも構わず、出港してしまいます。インドの人々だけでなく、自国の人間のことすら考えないのです。

そうやってカブラルはポルトガルに戻ってきたのですが、この航海は失敗だったと言われています（成功だったという説もありますが、この後カブラルはポルトガル王から嫌われ、不遇のうちに死んでいます。それを考えると不首尾だったと考えるほうが自然です）。ポルトガルに戻った船は13隻中わずか5隻。ダ・ガマ以上にインド洋中を敵に回して帰国しながら、手に入れた香辛料の質が悪くて高値で売れなかったのです。

これでわかるように、当時のポルトガル王からして、インドでのまともな交易、商売というものを考えてはいないのです。

彼らの頭の中にあるのは常に征服と独占なのです。

災厄のダ・ガマ

カブラルの航海の失敗で東廻り航路によるインドとの交易は一旦、暗礁に乗り上げてしまいます。

ここで再びダ・ガマが登場します。彼は自腹を切って20隻の船団を編成します。武器弾薬と兵士たちを満載した船団はリスボンを出港します。このとき、ダ・ガマには交易を成功させる秘策がありました。

インド洋に入ると早速その秘策が炸裂（さくれつ）します。当時の東アフリカで最も栄えていたキルワ島の港に入ると突然、艦砲射撃を開始します。ダ・ガマの秘策とは武力による強奪でした。最初から交易など考えず、武力でインド洋を牛耳（ぎゅうじ）ればいいと考えたのです。

インド西岸のカンヌール沖ではイスラム商人の船を待ち伏せしては海賊行為を繰り返します。メッカの巡礼から帰ってきた大型客船を拿捕（だほ）した際には5日間かけて船の積み荷と乗客が身に着けていた貴金属を奪い、女性や子供も含めて300人以上が乗るその船に火を放って乗客全員を焼き殺します。

カリカットでも狂気の攻撃は止まりません。町に向かって砲弾の雨を降らせ、イスラム商船を見つけると拿捕し、乗組員の首や手足を切断してマストにかかげて気勢をあげるのです。

この後、ダ・ガマたちは香辛料などを好きなだけ船に積み込み、軍船5隻を残してポルトガルに戻っていきました。残った軍船は港町に要塞を築き、インド洋を武力で掌握していったのです。

以上がダ・ガマの秘策であり、以後、ヨーロッパ人たちはこのやり方を踏襲していくのです。

現地の人々の商習慣に最初から従おうとせず、武力と殺戮（さつりく）によってインド洋の交易圏を手に入れたヨーロッパ人たちは誰がどう見てもただの野蛮人です。

こんな人間たちを現在でも海の英雄、冒険者として讃（たた）えているのが西洋の感覚なのです。

それにしても、なぜ、彼らはこれほどまでに残虐なのでしょうか？

バスコ・ダ・ガマもペドロ・アルバレス・カブラルも他国を当然のように攻撃しています。あるいは我が者顔で蹂躙（じゅうりん）しています。

しかし、その土地は彼らにとって初めての場所です。そして初めて会う人々なのです。

普通に考えれば、もっと敬意をもって接してもなんら不思議ではありません。であるのに、我が物顔でその土地、その土地の人々を蹂躙できることが私たちから見るととても異常なことなのですが、実はある理由によって、その傲慢（ごうまん）な態度は、彼らにとってはなんら異常ではなかったのです。

一体どんな理由なのかというと、ポルトガル人にとって、インド洋の国々は〝最初からポルトガルの土地〟だったのです。

傲慢さの極みトルデシリャス条約

まったく不思議な話なのですが、ポルトガル人にとってはインド洋周辺の国々は最初からポルトガルのものだったのです。なぜ、そう思えたのかというとトルデシリャス条約というものがあったためです。

このトルデシリャス条約とは１４９４年に西経46度37分の子午線（しごせん）を境に東側がポルトガル、西側がスペインの領土とする取り決めでした。簡単に言えば、大西洋のど真ん中に縦線を引いて、それより東側はポルトガル、西側はスペインが土地の領有権を持つというものでした。

これがあるため、アフリカ諸国、インド、インドネシアといった国々は最初からポルトガルのものだったのです。これがあったために彼らはあそこまで自分勝手に振る舞えることができたのです。

もちろん、インド洋周辺諸国の人々は、そんなわけのわからない条約を承認していませ

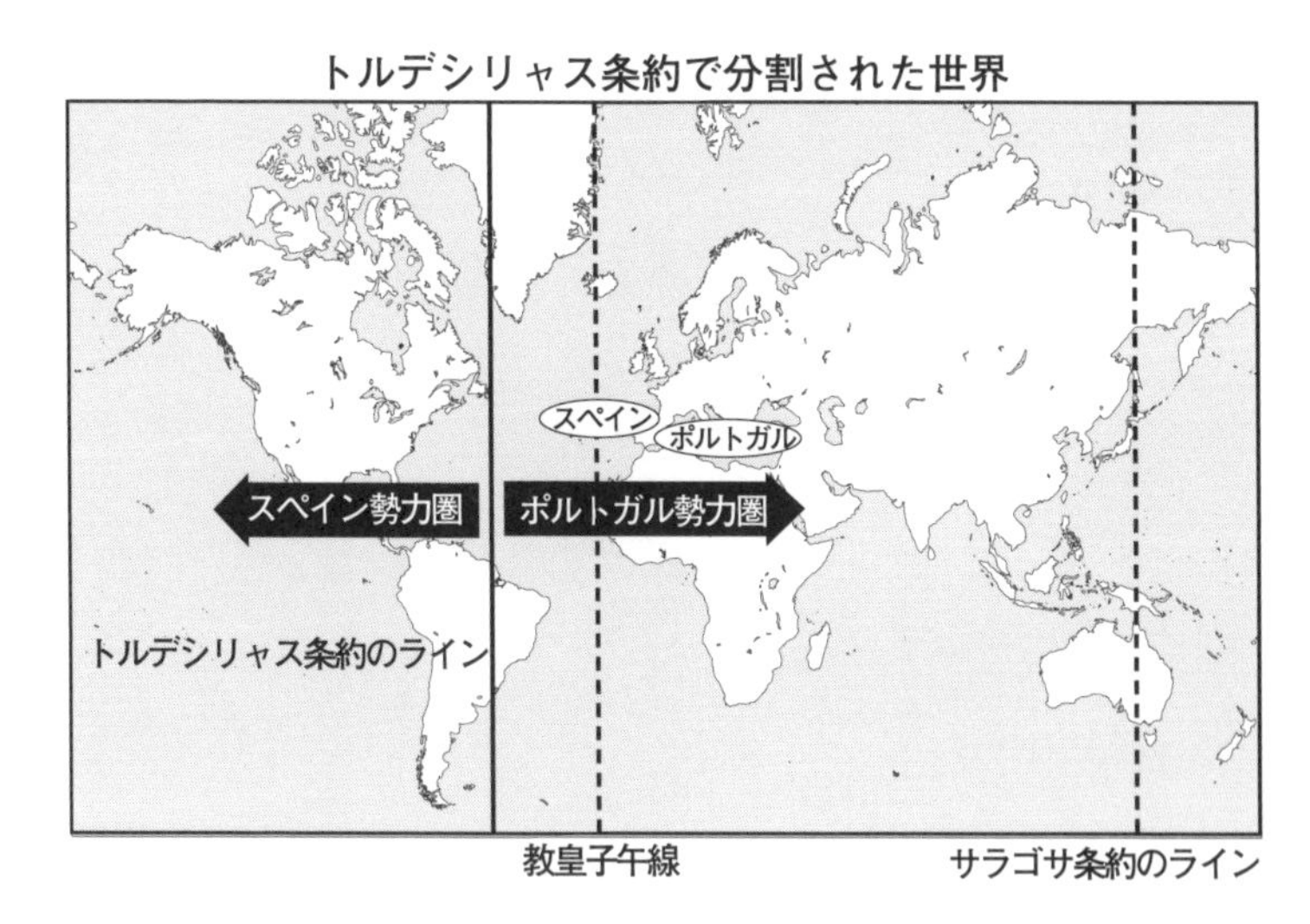

んし、そもそも、その存在すら知りませんでした。

ですから、仮に、ポルトガル人たちがこの条約を持ち出して、この土地は自分たちのものだと言ったとして、誰も取り合わなかったでしょう。当たり前の話です。

まともな人間だったら誰一人取り合わない話ですし、そんなものを根拠に所有権を主張する人間のほうがおかしいのです。

ところが、ポルトガル人とスペイン人はこれを本気で信じていたのです。

一体、なぜ、こんなでたらめとしか思えない条約に効力があると思えたのでしょうか？

その答えがローマ教皇でした。

神が認めた領土

そもそもこの条約が結ばれる以前からスペインとポルトガルは〝新大陸〟〝新世界〟の発見競争を大西洋周辺の土地で繰り広げ、小規模な紛争も多発していました。

その状態を収めるため、１４５６年、ローマ教皇カリストゥス３世は教皇勅書『インテル・カエテラ』を出して、アフリカ大陸西端のヴェルデ岬から南のインドに至るまでのすべての島嶼（とうしょ）に対する精神的裁治権をポルトガルに与えています。これによってアフリカからインドに至るまでの統治権を神から授かったとポルトガル人は思い込んだのです。このため、ポルトガルはアフリカ大陸を南下して喜望峰を回る東廻りルートを開拓するのです。

さらに１４８１年、教皇シクストゥス４世は回勅（かいちょく）『エテルニ・レギス』の中で、カナリア諸島（アフリカ大陸の北西沖の島々）までをスペインに、以南の新領土はすべてポルトガルに与えると定めます。

一方、スペインは大西洋の西側方面がその領土だと認定されたため、大西洋を横断する西廻りルートを模索します。そして、１４９２年にカトリック両王（カスティーリャ女王イサベル1世、アラゴン王フェルナンド2世）がスポンサーとなったクリストファー・コロンブスの船団が大西洋を横断して現在の西インド諸島に到達したのです。

この報告を受けたスペインのカトリック両王は1493年にローマ教皇アレクサンデル6世に働きかけて教皇勅書『インテル・カエテラ』を出してもらいます。これによって「ヴェルデ岬諸島の西方100レグア」の教皇子午線（33ページの図）を境界に、その東をポルトガル、西をスペイン領とすることが決まったのです。

ただし、大西洋の西側を諦（あきら）めたわけではないポルトガルは教皇勅書『インテル・カエテラ』が出た翌年、スペインと直接交渉し、境界線をさらに西方に移したトルデシリャス条約を結ぶに至ります。

この境界線によって南アメリカのブラジルやアフリカ大陸の沿岸部、インド、東南アジアがポルトガルの所有地ということになったのです。

よって、ダ・ガマやカブレラは、最初から「ここは自分たちの領土である」あるいは「占領してもいい土地である」と信じ込んでいました。だからこそ、彼らは交易という意識を最初から持ち合わせていなかったのです。

ちなみに、現在のポルトガルはこの条約をどう思っているのでしょうか？

傲慢であったと反省しているでしょうか？

もちろん、そういう反省もあったようです。

しかし、１９９４年にブラジルでトルデシリャス条約５００周年記念式典が行われ、記念切手が作られています。２００９年にはこの条約が「記憶の世界遺産」として登録されてもいます。ポルトガルとしては反省はあると思いますが、本音は誇りに思っているかもしれません。

ポルトガル海上帝国の誕生と実態

ダ・ガマはインド洋を散々に荒らし回ったあと、５隻の軍船を残して、ポルトガルに戻りました。

ポルトガル王はダ・ガマの報告を聞くと、その意味するところをたちどころに理解し、交易船ではなく、艦隊を送ってインド洋各地の港町を攻撃してまわります。東アフリカのソフィア、モザンビーク、インド西海岸のゴア、マレー半島のマラッカといった交易の拠点を次々と陥落させた艦隊は各地に要塞を築いて軍隊を駐屯させていくのです。

こうして、ポルトガルは東アフリカの海岸からマレー半島までの制海権を手に入れます。これがポルトガル海上帝国の始まりとなります。

インド洋一帯の交易を制圧したポルトガル王家は香辛料の交易をほぼ独占します。前述したように、これまでヨーロッパに入ってくる香辛料はインド洋からペルシャ湾や紅海を通ってシリアやエジプトに送られ、そこから地中海を渡ってヴェネチアに到着し、ヴェネチアの商人たちがヨーロッパ各地に香辛料をもたらしていました。ヨーロッパで胡椒が高価だったのは、商人の手数料や運賃、港町ごとにかかる税金を上乗せされていたためでした。

しかし、いまやポルトガル王家は香辛料をその生産地で安く仕入れることができるため、航海にかかる費用を差し引いても巨額の利益が残るのです。ポルトガル王家はヴェネチアの商人の売値よりも少し安い値段で香辛料を卸すことで大儲け（おおもう）けをすることができました。

しかし、ポルトガル王家がインド洋の富を独占できたのはほんのわずかな期間でした。ポルトガルがインド洋を荒らし回った当初、香辛料の交易は混乱をきたし、ポルトガルが運んでくる香辛料しかヨーロッパでは手に入れることができませんでした。

ただし、インド洋は広いのです。その全体をポルトガル1国だけで制圧するというのは大事業です。各地に建てる要塞の建設費、維持費、兵士らの人件費などは勢力が拡大すればそれだけ増大します。武器弾薬の調達もかさむ一方です。

それでなくても国土が小さく、人口も少ないポルトガルではインド洋のために割ける人員がそもそも不足しています。

しかも、インド洋に派遣する人間の多くは元囚人や犯罪者が多く、王家に対する忠誠心など最初から持ち合わせてはいません。賄賂（わいろ）を貰（もら）えば、すぐにイスラム商人の船を通してしまうような人間ばかりでした。

一番の問題は紅海入り口の城塞都市アデンを最後まで陥落させることができなかったことです。イスラム勢力もここだけは死守しました。というのも、アデンさえ守れば紅海での交易が可能になったからです。紅海の奥にはカイロがあり、地中海を渡ってくるヴェネチアの商人と取引することができます。イスラム商人たちはここでヨーロッパ向けの商品を卸すことができたのです。

結局、ポルトガルによる香辛料独占販売は最初のうちだけで長続きはしませんでした。それでも香辛料が貴重だった時期はまだ商売が成り立っていましたが、ポルトガルのおいしい商売を見て、二番煎（せん）じ、三番煎じを狙（ねら）う国が現れたのです。

オランダ東インド会社の登場

ポルトガルのライバルとなったのはスペイン、オランダ、イギリスです。特に強力だったのが冒頭でお話ししたオランダ東インド会社ＶＯＣです。

正確に言えば、この当時、オランダはハプスブルク領ネーデルラント（現在のオランダとベルギー、ルクセンブルクを合わせた一帯）であり、ハプスブルク家の土地でした。ハプスブルク家はネーデルラントを親戚（しんせき）であるスペイン・ハプスブルク家に譲渡していたため、当時のオランダはスペイン王家の所有地だったのです。

詳しくは第2章でお話ししますが、この時期、ヨーロッパでは反カトリック運動が盛り上がっており、ネーデルラントは反カトリック運動であるプロテスタントを信奉する人々が多く集まっていました。

一方、もともとローマ教会とのつながりが深いハプスブルク家では、カトリック擁護の立場で、ネーデルラントにおける異端審問を強力に推し進めていました。そのため、ネーデルラントでは反スペイン、反ハプスブルク活動が活発になっていたのです。

そんな中で、1580年、ポルトガルの王権がスペイン王のフェリペ2世に移動してしまいます。スペインとポルトガルは同じ王が治める国になってしまったのです。ポルトガルを手に入れたフェリペ2世はネーデルラントの船をポルトガル最大の港湾都市リスボンから追い払います。

リスボンはインド洋から戻ってきた船が荷を下ろす帰港地です。そこから追い払われたということは、インドからの交易品を手に入れることができないことを意味します。ネーデルラントの商人たちは、香辛料が欲しければ、自力でインド洋を目指すしかなくなったのです。

幸い、ネーデルラントにはヨーロッパ各地の裕福なプロテスタント商人、ユダヤ人金融家たちが集まっていました。インド洋に向かうための資金集めには事欠きません。多くの商都で船団が編成されてインドに向かいます。やがてこれらの船団を1つにまとめたのがVOCなのです。

VOCの登場によって、インド洋の勢力図は大きく変わります。豊富な資金力を持つ彼らはポルトガルがやったように交易の独占を狙います。

1603年、第1回目のVOCの航海では香辛料を買うことに加えて、モザンビーク、ゴア、モルッカといったポルトガルの拠点を破壊します。オランダにとってはポルトガルを叩（たた）くことはスペインを叩くことにつながります。オランダはインド洋、東南アジア一帯でもスペイン、ハプスブルク家に対する独立戦争を開始したのです。

当然、アジアの海はこれまで以上の殺戮が展開されました。

バンダの殺戮者

VOCについて語るとき、決して外すことができないのが、第4代総督ヤン・ピーテルスゾーン・クーンです。現在のインドネシア、バンダ諸島における大虐殺によっていまでも「バンダの殺戮者」と呼ばれるクーンによって、VOCは大きく発展します。

インド洋におけるクーンの方針は明確でした。ポルトガル、スペイン、イギリスを排除し、香辛料の取引をVOCが「独占」することでした。それを実現させる方法についても明確で、ただ1つ、「問答無用」でした。

そんな彼が高級香辛料ナツメグの唯一の産地であるバンダ諸島を訪れたら何をするかはわかりきっています。バンダ諸島の王族たちを集めていま行っているすべての取引を中止し、特産品であるナツメグとメースをVOCとだけ取引するように命じたのです。従わない場合は島民を皆殺しにするというものです。

この当時、資本の関係もあって最も軍事力が高かったVOCには現地の人間はもちろんイギリスもスペインもポルトガルも太刀打ちできませんでした。そのため、バンダ諸島の王族たちはオランダとの独占契約をしぶしぶ結びます。

しかし、香辛料を欲していたのはヨーロッパの人々だけではありません。日本や中国、ベトナムといった国々でも香辛料は求められており、バンダの人々はオランダ人に隠れて商売を続けていました。

しかし、すぐにクーンに発覚してしまい、VOCはバンダ諸島にいた約1500人の島民のほぼ全員を殺し、生き残った人間はジャワ島に連れていって奴隷にしたのです。

島民を絶滅させてしまったら肝心のナツメグ栽培は誰がやったのでしょうか？

クーンはアフリカなどから連れてきた奴隷を使い、農園主にはオランダ人を据えて経営を任せたのです。つまり、人間の総取っ替えを行い、島そのものを簒奪（さんだつ）したのです。

これが1620年のことで、同じことをクーンは翌年にもします。彼は香辛料諸島と言われた東南アジアの海で島民のジェノサイドを何度も行いました。しかも、クーンが悪質なのは、その殺戮の責任を日本人に押し付けている点です。

実は、バンダ諸島にはこの殺戮の様子を描いた絵が現在も展示されていますが、島民を殺しているのはちょんまげ姿で日本刀を持った日本人なのです。

パンダの虐殺を描いた絵画。日本人が島民を殺している。

クーンの兵隊の中には傭兵として87人の日本人がいました。この時期、日本は戦国時代が終焉しており、武士たちの中には南アジア、東南アジアで傭兵となっていた人間も多かったのです。武士たちは傭兵として敵を殺すだけでなく、処刑役としても重宝されていました。長い刃物で一刀のもとに首を切り落とす処刑方法は東南アジアの人々を震え上がらせるに十分でした。

このことで日本人は残酷だという悪評が立ってしまったようですが、命じたのはオランダ人でした。それをまるで日本人が大虐殺をやったかのような絵をバンダ諸島の記念館に飾るのは情報操作も甚だしいのではないでしょうか。

いずれにせよ、東洋の人々を人間だと思っていなかったのはポルトガル人同様、オランダ人もでした。ヨーロッパ人は武力を背景にアジア、そしてアフリカの人々の土地と財産を奪い、身柄まで奪って奴隷にしても何ら恥じることもなく、いまだに反省もなく、時には日本人に罪を着せることまでして平然としているのです。

イギリス東インド会社EICの登場

続いて、イギリス東インド会社EICについて話しましょう。

イギリス東インド会社EICはVOCよりも先に設立された貿易会社でした。

しかし、イギリスはやっとロンドンが商都として栄え始めたばかりで産業革命も起こっていません。資金力もオランダの10分の1程度でしたので、インド洋へは小規模な船団しか送り込むことができなかったのです。

一方、当時のオランダは北ヨーロッパの貿易基地として最も繁栄していた時期でした。

「ヨーロッパの首都」とも言われたアントウェルペンにはカトリック勢力から追われたヨ

ーロッパ中のプロテスタント系商人やユダヤ人たちが集まり、経済も文化も盛んでした。経済力の違いは武力の違いとなって表れます。これまで見てきたようにインド洋においては武力がすべてですからイギリス東インド会社ＥＩＣはＶＯＣに屈するしかなかったのです。

特に殺戮王クーンが総督となった当時のＶＯＣは同じヨーロッパ人でも容赦なく、皆殺しにする勢いでイギリス東インド会社ＥＩＣを攻撃しました。

そのため、イギリス東インド会社ＥＩＣは香辛料を産する東南アジアのモルッカ諸島、バンダ諸島ほかから完全撤退を余儀なくされ、インド西岸の港町ゴアやベンガルなどを拠点に綿製品の交易を行うことにします。香辛料の交易を諦めてしまうのです。

ところが、これがのちに功を奏します。香辛料がヨーロッパで飽和状態になって価格が下落する中、インド綿の市場が伸びていったのです。

さらに、イギリス東インド会社ＥＩＣはインド地域の王族たちの勢力争いに図らずも関わっていくことになり、棚からぼたもちのような形でインドで領地を持つようにまでなるのです。

領地を持つということはインドの王の1人になったことを意味します。こうしてイギリス東インド会社ＥＩＣは他の国のインド会社とは違ってインドの王族社会へと浸透していったのです。

のちにイギリス東インド会社ＥＩＣはインドから東南アジア諸国を植民地にし、19世紀には清（シン）国に対してアヘン戦争（１８４０～１８４２年）を仕掛けてアジア全土を牛耳っていきます。一方、オランダやフランスなど他の国の東インド会社は18世紀には解散してしまいます。

その違いがどこにあったのかといえば、イギリス東インド会社だけがインドで領地を持ったからです。

東洋との出会いで初めて贅沢品を知ったヨーロッパ人

かなり長くなりましたが、これが15～18世紀のインド洋、東南アジアの状況です。ここで重要なのはなにゆえ彼らがインド洋を荒らし回ったのか？　という点です。

最初は香辛料のためでした。しかし、彼らは交易によって香辛料を手に入れようとはしませんでした。なぜなら、インド洋で商売できるような産物をヨーロッパ人は持っていなかったからです。

当時のインド洋の交易は物々交換です。しかし、ヨーロッパは寒冷地であり、インド洋一帯は熱帯、亜熱帯です。ヨーロッパでは重宝される羊毛品や毛皮、ビロードといったものはインドに持っていっても誰も喜びません。

決定的な違いは文化の成熟度でした。インダス文明、メソポタミア文明が起きたインド周辺の文化はヨーロッパの比ではなかったのです。相手の欲しがるものを持たないヨーロッパ人は交易の仲間に入ることができません。そこで彼らは唯一、インド洋の人々に勝る商品を使いました。それが武器弾薬です。圧倒的な火力で現地の人々を蹂躙し、欲しい品物を強奪したのです。

しかし、なぜ、それほどまでにヨーロッパ人はインド洋での交易を欲したのでしょうか？

理由は彼の地における日常品が、ヨーロッパ人にとっては目もくらむほどの高級品だったからです。胡椒、ナツメグ、クロウブなどの香辛料はもとより、茶、陶磁器、綿、絹などすべてがヨーロッパ人にとってはノドから手が出るほど欲しい贅沢品でした。そのことはイギリスの上流階級が現在でも紅茶を陶磁器を使って飲むのを見ればわかるでしょう。

15世紀に知った味を彼らは手放すことができず、いまだに習慣としているのです。それほどアジアの品物はヨーロッパ人の嗜好（しこう）を強烈に刺激しました。

だからこそ、彼らは危険な航海に乗り出し、大西洋を南下したのです。

そして、この強欲なヨーロッパ人はインド洋周辺、東南アジアの島々を蹂躙するだけでは飽き足らず、ついに日本にまで魔の手を伸ばそうと画策します。

次章からはいよいよヨーロッパ人と日本人との接触について考察していきましょう。

第2章　戦国大名とキリスト教

なぜ、キリスト教だけが禁教となったのか？

15世紀から16世紀の日本にやってきたヨーロッパ人の代表といえばキリシタンでしょう。しかし、豊臣秀吉及び徳川家康はキリスト教を禁教とし、伴天連(バテレン)追放令などを出しています。一体なぜ、伴天連はこれほど嫌われたのでしょうか？

一般的に言われているのが「キリスト教の宣教師たちはスペイン＝ポルトガル勢力による日本侵攻の先兵として送り込まれていたからだ」というものです。

この説を裏付けるのがサン・フェリペ号事件です。１５９６年、土佐沖に漂流していたスペイン船サン・フェリペ号を日本側が救助したことから起きたものですが、当時、日本では、キリスト教宣教師が九州の大名と結託して日本転覆を企(たくら)んでいるのではないかと思わせる動きをしており、外国人に対する警戒心が極度に高まっている状態でした。そのため、秀吉はサン・フェリペ号の積荷を没収し、乗組員も捕縛してしまったのです。

これに怒ったのがフェリペ号の航海長で、彼は〝スペインは日本よりも遥(はる)かに強大な国でスペイン国王を怒らせるべきではない〟〝すでにスペインは日本の征服に動いている。

宣教師たちが日本人にキリスト教を広めているのは、日本の乗っ取りのためだ〟というようなことを脅しのつもりで奉行の増田長盛（ましたながもり）に語ったのです。

当然、この話は秀吉の耳にも入ります。結果、翌年キリスト教宣教師及び日本人信者合わせて26人が処刑されることになりました。

いわゆる日本二十六聖人殉教事件ですが、航海長が言うようにキリスト教の宣教師たちは本当に日本侵略の尖兵（せんぺい）だったのでしょうか？　それともただ純粋に布教活動のためだけに来日していたのでしょうか？

実は、この疑問を解くにあたって多くの専門書、論文などに目を通したのですが、なにか歯切れが悪いのです。

フェリペ号の航海長が怒りに任せてデタラメを言ったためにこんな事態になってしまったと結論づけるのが通説となっていますが、まったくのデタラメということはないでしょう。

少なくとも航海長はその話のどこかに自分が納得するところがあるから脅しに使ったわけで、だからこそ、秀吉も処刑を断行したのです。根も葉もない偽りだと言って切り捨てるほど実のない話ではないはずです。

果たして、戦国時代に日本にやってきたキリスト教の宣教師たちはどういうつもりで日本を訪れていたのでしょうか？

心の底で日本征服を目論見ながら、うわべだけで神の愛を語っていたのでしょうか？

第2章では戦国時代に日本にやってきた外国人宣教師たちの思惑、陰謀に迫っていきましょう。

宣教師たちは日本征服を企んでいたのか？

戦国時代のキリスト教の布教の様子を理解するためには松田毅一氏、高瀬弘一郎氏らの研究が最も参考になります。

松田氏や高瀬氏は当時のキリスト教宣教師が本国ほかに送った書簡をローマやフィリピン、マカオなどに渡って丹念に掘り起こし、日本語に翻訳しています。それによってキリスト教宣教師たちの計画や、その思惑、葛藤などが初めて赤裸々になりました。

では、宣教師たちはどんな計画や思惑をもって日本で活動していたのでしょうか？　まずは高瀬氏が著した『キリシタン時代の研究』（岩波書店）から探っていきましょう。

同書の最初のページで高瀬氏はイエズス会の日本巡察師アレッサンドロ・ヴァリニャーノが1597年にフィリピンの宣教師に送った書簡を紹介しています。それが左のものになります。ちなみに巡察師とは担当区域の布教活動の様子を確認し、ルール作りや人事の査定などを行う役目で、区域の上長（最高責任者）の決定権すら持っている、高い役職になります。

「（前略）一般的に言って、フィリピンの修道士は何人もシナ、日本、及びその他のポルトガル国民の征服に属する地域において、主への奉仕、霊魂の救済、更には国王陛下への奉仕を願い、それに添った行動をしてはならない。それどころか彼等がそれらの国に行こうとすればするほど、ますます大きな弊害が生じ、その目的を達するのが困難になるであろう。」

この書簡を読んで多くの読者が不思議な違和感を持ったのではないかと思います。なぜフィリピンの修道士が日本やシナ（＝中国、当時の明（ミン））に赴いて布教活動をしてはいけないのか？　彼らがそれをすると「ますます大きな弊害が生じ、その目的を達するのが困難になるであろう」というのはどうしてなのか？　と。

その答えを知るには第1章で紹介したトルデシリャス条約を思い出す必要があります。大西洋のほぼ真ん中を境に東はポルトガル、西はスペインのものとした取り決めであり、当時のローマ教皇たちがお墨付きを与えたものでした。いわば、神が許した領土分けで、ポルトガルはこの条約に従って東廻（まわ）りの航路を開いてインド、東南アジア、明、そして日本にまでやってきたのです。

ですから、書簡内でヴァリニャーノが「シナ、日本及びその他のポルトガル国民の征服に属する地域」と書いているのは同条約によって大西洋の東側つまり日本もシナもポルトガルの領土であるので、フィリピンの修道士はポルトガルの領土に入ってくるなと言っているのです。

しかし、なぜ、フィリピンの修道士が日本やシナに入ってきてはいけないのでしょうか？

その理由もまたトルデシリャス条約にあります。

この条約によってポルトガルは大西洋を東に進んでインド洋に向かいました。一方スペインは大西洋の西側に進んで、南北アメリカ大陸に到達します。スペイン人はポルトガル

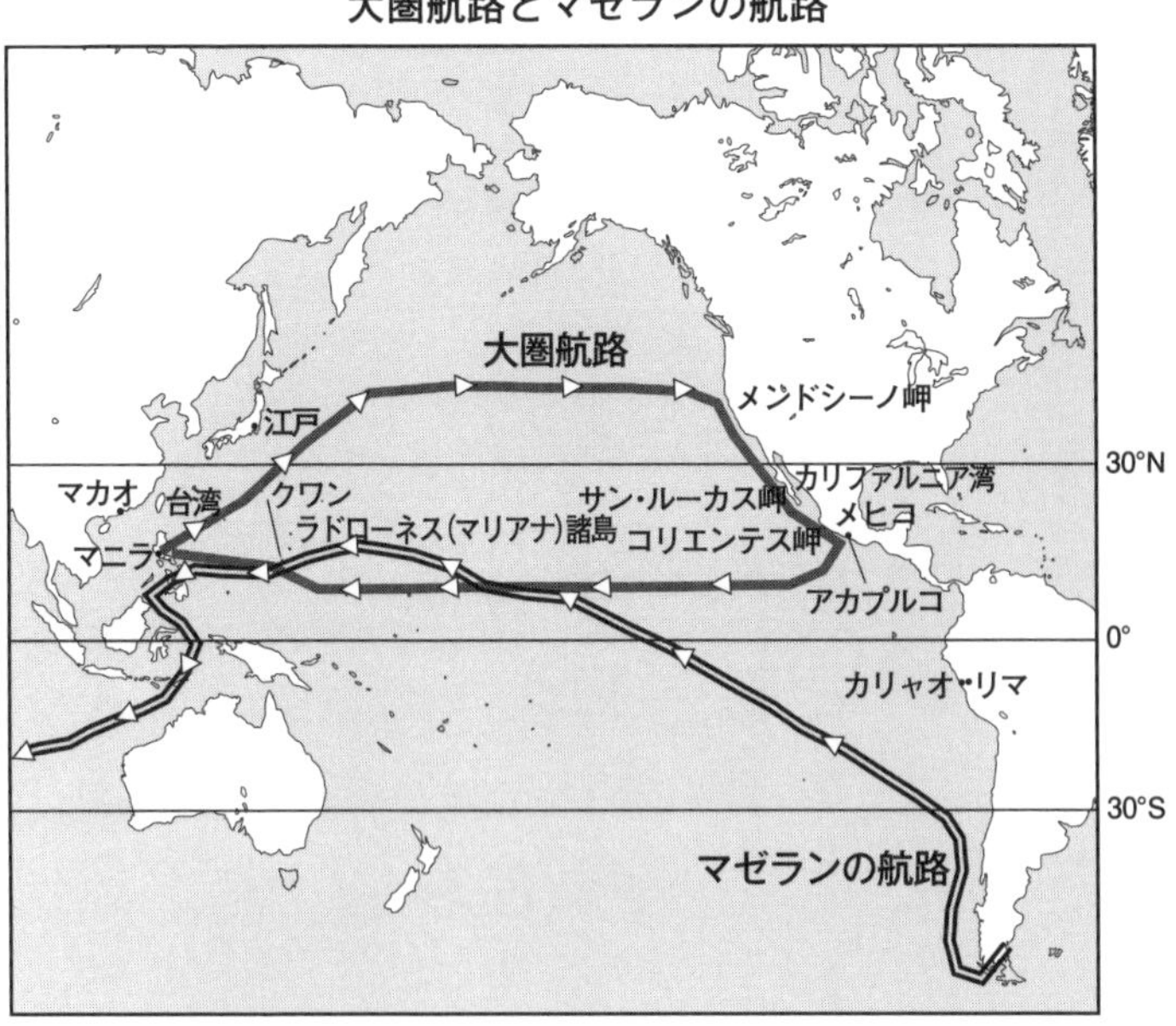

人同様、アメリカ大陸の先住民を虐殺し、植民地にするわけですが、インド到達にこだわる彼らはアメリカ大陸からさらに西を目指して太平洋へと乗り出します（上図）。

　そして数カ月後ようやく東南アジアの島（呂宋島（ルソン））に到着したスペイン人はその島を征服し、スペイン王フェリペ２世の名にちなんでフィリピンと名付けるのです。

　つまり、フィリピンの宣教師とは、ポルトガルにとって征服事業の長年の敵であるスペイン人宣教師のことだったのです。

一枚岩ではなかったイエズス会

ヴァリニャーノの書簡の意味は、ポルトガルとスペインの領土争いが日本で起きるのでスペインの植民地であるフィリピンからの宣教師を日本に送り込んではいけないという警告だったのです。

日本人にしてみれば「何を勝手なことを」と片腹痛い話ですが、ポルトガル人宣教師にしてみれば何十年もかけて布教してきた地を新参者のスペイン人が荒らし回るなどありえない話だったのです。

しかし、ヴァリニャーノの話は大きな矛盾を抱えています。

というのも、日本に最初にやってきたキリスト教の宣教師であるフランシスコ・ザビエルはスペイン人だからです。

ヴァリニャーノは、日本はすでにポルトガル人宣教師によって布教されているのでスペイン人はやってくるなと言っています。しかし、最初の宣教師がスペイン人というのではまったく辻褄（つじつま）が合いません。さらに言えば、ザビエルだけがスペイン人ではありませんでした。

『キリシタン時代の研究』には、1593年当時の日本在住のイエズス会宣教師の国籍内訳が書かれており、それによるとポルトガル人27人、スペイン人16人、イタリア人13人、その他1人でした。

ヴァリニャーノが例の書簡を送ったのは1597年ですから、それ以前からすでに多くのスペイン人宣教師が日本にいたのです。さらに驚くべきは、幹部宣教師である四盛式立(しせいしきりっ)のスペイン人宣教師が日本にいたのです。誓司祭(せいしさい)の数を比べるとポルトガル人3人、スペイン人5人、イタリア人4人で、スペイン人の発言力のほうがポルトガル人よりも強かったのです。

一体これはどういうことでしょうか？

ヴァリニャーノはどういうつもりであんな書簡を書いたのでしょうか？

スペイン宣教師とポルトガル宣教師は会派が違う

ここで考えなければいけないのは、ヴァリニャーノらイエズス会宣教師たちが誰の船に乗って来日したのか、という点です。

彼らは東廻りつまりインド洋、東南アジアを経由して日本にやってきたのですからポルトガルの船に乗ってきたことがわかります。

ポルトガルの船に乗るということはポルトガル国王の依頼及び資金によって、布教の旅に出たことを意味します。

よって、ヴァリニャーノらは、自らの国籍にかかわらず、〝ポルトガルの宣教師〟なのです。

一方、フィリピンの宣教師は、スペインの船に乗って太平洋を越えてフィリピンに来ています。ということはスペイン国王の依頼及び資金によって、彼の地に来たことを意味し、彼らは国籍のいかんにかかわらず、〝スペインの宣教師〟となります。

ヴァリニャーノはこれを言っていたのです。スペイン国王がスポンサーとなっている宣教師が来日すると、ポルトガルをスポンサーとする宣教師と利害が対立することになるので、日本に寄越さないでほしい、と。

しかし、ここで再び、疑問が湧き上がる読者がいるのではないでしょうか？

その疑問とは、ポルトガルはこの時期、スペインに併合されて1つの国になっているのではないか？　というものでしょう。

まさしくその通りで、1580年、ポルトガルは王の戦死によって王位継承権を持つ者がいなくなってしまいます。そのスキを突いてスペインのフェリペ２世がポルトガルに侵攻、王位継承を主張してポルトガルを併合してしまっていたのです。

ヴァリニャーノが書簡を出したときはすでにポルトガルはスペインの一部でした。「ならばすでに同じ国なのだからいがみ合わなくてもいいじゃないか」と思った人もいるかもしれません。

しかし、国民感情は一筋縄ではいきません。「いままでは別の国で仲が悪かったけど、今日からは王が一緒で同じ国だから仲良くしようよ」とはなかなか言えないのです。

それでなくてもポルトガルとスペインは小競り合いを繰り返してきた歴史があり、もともと仲がいいとは言えません。

ですから、ポルトガル人は誰一人、フェリペ２世を王として戴くつもりなどありませんでしたし、自分をスペイン人だとも思っていませんでした。

スペイン人はスペイン人で、「ポルトガルはスペインに併合されたのだから、おとなしくしていろ」ぐらいのことは思ったかもしれません。結局、この併合は両国を結びつけるどころか、逆に一層激しいいがみ合いを生んだのです。

このいがみ合いですが、実はイエズス会内部でも起こっていました。

さきほども紹介したように日本のイエズス会は最初こそポルトガル人が多かったのですが、徐々にスペイン人の割合が増えていきます。するとポルトガル人のほうから人事についての不満が吹き出します。「スペイン人を優先して僧位を上げている」「スペイン人ばかり上長に任命する」「ポルトガル人はたとえ上長になっても途中で解任される、スペイン人はそんなことは一度もない」などの不平不満が書かれた書簡がインドの管区長やローマの総長などに次々と届くのです。

このようにイエズス会と言えどもその内情は通常の組織と同じように人間的な問題を多く抱えていました。

そんな最中に〝スペイン人宣教師〟たちが日本にやってきたのです。

さらにもう1つ大きな問題がありました。それは、〝ポルトガルの宣教師〟と〝スペインの宣教師〟は同じカトリックとは言いながら会派が違ったのです。

〝ポルトガルの宣教師〟はイエズス会でしたが、〝フィリピンの宣教師〟はフランシスコ会などの托鉢（たくはつ）修道会だったのです。

のちほど詳述しますが、日本の布教についてはイエズス会が専任するという勅令がすでにローマ教皇から出ていただけでなく、日本の特殊な事情をわかっていないフランシスコ会の人間が勝手な布教を始めると大混乱をきたすことをヴァリニャーノはわかっていたのです。

ですから、ヴァリニャーノは、〝フィリピンの宣教師〟が来ると「大きな弊害が起きる」と言っていたのです。

布教の天才オルガンティーノ登場

ここで時間軸を少し戻して、イエズス会が日本で布教を始めた頃を見てみましょう。

日本におけるキリスト教の布教はフランシスコ・ザビエルが西国で主に活動したこともあって、九州のほうで順調に伸びていました。キリシタン大名と言われる大友(おおとも)氏、大村(おおむら)氏、有馬(ありま)氏たちがポルトガルとの貿易と引き換えにキリスト教の布教を許していました。領主の推奨あるいは強制によって人々はキリスト教に改宗していったのです。

しかし、京都を中心とする畿内(きない)では思ったほどは伸びていませんでした。１５７０年つまりフランシスコ・ザビエルが来日して21年経っても日本人のキリスト教信者は１５００

人ほどしかいませんでした。ルイス・フロイスが１５６３年に来日し、69年に織田信長と謁見して知己を得たあとでもその人数だったのです。

ところが、この状況を一気にひっくり返す宣教師が１５７０年に来日します。イタリア人宣教師のグネッキ・ソルディ・オルガンティーノです。彼は来日後、日本語と法華経を学んだのち77年から京都地区を担当します。

日本に対する理解がどの宣教師よりも深かったオルガンティーノは、祝日に多くの信者を集め、「華美で盛大で荘厳な公の行列を命じ」たのです。「新奇なことを好む日本人」はこの行列と祝典を見ようと大挙して集まってきました（『南蛮資料の発見』松田毅一著、中公新書）。こうやって人を集めたオルガンティーノは京都に来てわずか半年で７０００人の授洗を行ったことが、巡察師ヴァリニャーノの記録でわかっています。

京都がこれで成功すると、各地の布教にも熱が入ります。岡山では日本人信徒たちが中心になって昇天の祝日を開いて７００人が洗礼を受け、高槻ではキリシタン大名の高山飛騨守ダリオ（高山友照＝高山右近の父）が４回の大改宗大会を開催して、合計２６００人を受洗させています。

オルガンティーノは生活様式も日本式に変えます。肉食をやめて魚と野菜を食べ、洋服をやめて着物を着るといったものです。

キリスト教では清貧が貴いとされ、黒衣を着ることが良しとされていましたが、日本ではみすぼらしい衣装の人間を敬う習慣はありません。日本では徳の高い人間はそれに見合った服装をしないと尊敬されないため、オルガンティーノは城に上がるときだけでなく、町中を歩くときも数人の従者を連れ、絹の衣装を身に着けたのです。当時の僧侶が金糸銀糸を使った豪華な着物を着ていた習慣を受け入れたのです。

こういった変更は実はフランシスコ・ザビエルが苦労して布教していく中で培われたものでもありました。日本に最初に来日したザビエルもなかなか布教できないことに悩み、日本の習慣を取り入れながら信者を増やしていったのです。オルガンティーノはそういった先人の教えを存分に生かした布教を行ったのです。これを巡察使ヴァリニャーノは適応主義と名付けて、以後、明を含む東アジア全体の布教を進めていく際の柱とします。

日本に初めてキリスト教を伝えた
フランシスコ・ザビエル

オルガンティーノの布教がうまくいったのは、外見だけを日本風にしたからではありません。日本を過剰過ぎるほど愛した結果でもありました。「日本人はヨーロッパ人よりもすばらしい」と本国に書き送った書簡がいくつも見つかっているほどです。だからこそ、日本の信者から宇留岸（うるがん）様と呼ばれて親しまれたのです。結果、オルガンティーノが京都で布教を始めてたった3年で日本人信者の数は1万5000人と10倍にまでなっていたのです。

ところが、そんなオルガンティーノを批判する宣教師が現れます。第3代目日本布教長のフランシスコ・カブラルです。

日本人嫌いの宣教師カブラル登場

オルガンティーノが畿内で信者を増やす一方、3代目の日本布教長に任命されていたカブラルは九州で何もしていませんでした。

長崎を中心に九州は日本イエズス会の本拠地です。ポルトガル貿易を斡旋（あっせん）できたイエズス会は九州の大名たちに重宝され、自分で布教活動などせずとも、大名たちが代わりにやってくれていたのです。しかし、キリシタン大名たちがキリスト教を奨励するのは貿易のためであり、布教活動はおまけですから信者はずっと頭打ちでした。

そんなときにカブラルは、オルガンティーノと同じ1570年に来日し、日本イエズス会の責任者となります。

彼が責任者として最初にやったことは前任者のコスメ・デ・トーレスの批判でした。フランシスコ・ザビエルとともに来日し、ザビエルが日本を去ったあとは2代目布教長としてイエズス会を守ってきたトーレスの布教方針はザビエルと同じ、絹の服を着るなどの適応主義でした。

しかし、カブラルは絹の服を着るのは堕落の証し、イエズス会の宣教師は定められたとおり、清貧を貫くべき、黒衣を身に着けるべきだと主張し、適応主義をやめてしまったのです。

さらにカブラルは日本についてまったく学ばないどころか、日本人を劣等民族として蔑(さげす)み、教義もなにも教えず、信者はただただ宣教師の小間使をしていればいいという方針でした。そんなですから信者は増えるどころか、カブラルが九州を担当していた期間は減少傾向にあったほどです。

そんな中、1579年、巡察師のヴァリニャーノが初来日します。長崎に到着した彼は最初にカブラルのもとを訪れるのですが、布教活動全体の熱のなさに驚愕(きょうがく)します。カブラルは、日本人にはキリスト教を理解できる能力がなく、たとえ洗礼を受けても熱心ではない、と報告します。

日本の布教は順調だと聞いていたヴァリニャーノにとってカブラルの言葉は衝撃でしたが、それでも京都へと向かおうとすると、カブラルは無駄だと言って止めようとします。カブラルの言葉を遮って京都に向かったヴァリニャーノを迎えたのはオルガンティーノと熱狂的な日本人信者たちでした。

京都に行ってヴァリニャーノは理解します。誰が間違っているのかを。

ヴァリニャーノはカブラルを責任者から外して次の布教長にガスパール・コエリョを任命します。オルガンティーノを任命しなかったのは彼があまりにも物惜しみしなかったためです。神学校をつくるとき、何かの行事を行うとき、信者が喜ぶ方向に最大限努力してしまうので、毎回予算を大幅に超えてしまっていたのです。人望がある一方で経済性はなかったために責任者にはさせられなかったのです。

もう1つの理由は、オルガンティーノが自分と同じイタリア人だったことです。

イエズス会の中にあっても人種間の不和不信はなくなることはなく、インド管区でも散々それを経験しているヴァリニャーノは同胞を責任者にすることで発生する妬み（「同じイタリア人だから依怙贔屓したんだ」など）を恐れたのです。

しかし、ヴァリニャーノはイエズス会総長宛の書簡に、

「にもかかわらず、私はオルガンティーノを後継者名簿では第二位に指名した。彼こそは、イエズス会がひじょうに期待をよせざるをえない人物である。」（『南蛮資料の発見』松田毅一著）

と絶賛しています。

宣教師ガスパール・コエリョの野望

いらぬ軋轢を避けようと同国人だったオルガンティーノではなく、ポルトガル人のガスパール・コエリョをカブラルの後任としたヴァリニャーノでしたが、この遠慮が日本イエズス会に大きな災いをもたらします。

1586年、すでに信長は倒れ、関白秀吉の時代、コエリョらイエズス会の宣教師たちは大坂の秀吉のもとに赴き、宣教の許可を受けます。このとき、コエリョは秀吉に九州平定をお願いしています。大友や有馬ら有力なキリシタン大名は秀吉の味方になると約束してもいました。

また、秀吉が「九州平定のあとは明を攻める」と言うと、「関白が明を攻めるのであれば、ポルトガル船を2隻提供できます。南蛮の援軍を送らせることもできます」と申し出ます。歴史関係の書籍では、このとき、秀吉がポルトガル船を2隻購入したいのでその斡旋ができないかとコエリョに打診している話になっていることが多いのですが、実際はコエリョのほうから申し出ていたのです。

というのも、その前年、コエリョはイエズス会フィリピン布教長アントニオ・セデーニョに「フィリピン総督閣下に兵隊・弾薬・大砲及び兵隊のための必要な食糧、一、二年間食糧を買うための金を十分に搭載した三、四艘のフラガータ船を日本に派遣してもらいたい。フラガータ船は日本では珍しいので、当地のキリスト教徒の領主の支援をえて、この海岸全体を支配し、服従しようとしない敵に脅威を与えることができる」という書簡を送っていました。

日本を完全なキリスト教国にするためにスペインから艦隊を送ってほしいとはっきり書いていたのです。もともと日本征服の野望を持っていたコエリョでしたので、ポルトガル人でありながらスペイン王の武力を当てにしていたのです。そんなときに秀吉の言葉は渡りに船だったのでしょう。

コエリョが秀吉を訪問した同じ年、九州のキリシタン大名として有名な大友宗麟（おおともそうりん）も秀吉を訪ね、薩摩（さつま）の島津（しまづ）氏との合戦に協力してほしいと願い出ます。秀吉はこれを快諾し、翌87年、薩摩勢に追い詰められて壊滅寸前に陥っていた大友氏を救い、九州平定を成し遂げます。この平定のとき、秀吉も自軍を率いて博多まできていました。コエリョはこの期を利用して自らの力を見せつけようと平戸（ひらど）で造らせていた日本初の西洋式の新型船フスタ船に乗って博多の秀吉を訪ねたのです。

万国旗で飾り立てたフスタ船には艦砲も備えられており、その威容は見物人を驚かせます。コエリョはまるで提督のようだったとイエズス会の記録に残っているほどです。

秀吉はそんなコエリョとにこやかに接し、船内の案内をさせました。コエリョはここぞとばかりにフスタ船の自慢を、イエズス会が協力すれば明の征服も夢ではないと力説します。それを聞いて大きく頷（うなず）く秀吉に、コエリョは興奮を隠しません。

ところが、その横で真っ青な顔をしていたのがキリシタン大名の高山右近と小西行長(こにしゆきなが)でした。秀吉の笑顔の裏を知る2人はコエリョに、ただちにフスタ船を秀吉に献上するよう説得します。「献上しなければイエズス会には大きな災難が及ぶだろう」と小西行長ははっきり伝えたといいますが、コエリョは、「デモンストレーションは成功した。秀吉からはなにか褒美が貰(もら)えるはずだ」と言ってがんとして譲らなかったのです。

翌日、秀吉は、伴天連追放令を発布します。キリスト教の布教は禁止、宣教師は20日以内に日本を退去すること、といった内容でした。

小西たちが恐れていたことが現実となってしまったのです（宣教師たちが奴隷貿易にかかわっていたことが理由との説もありますが、それは次章で詳述）。

褒美があると思っていたコエリョは秀吉の豹変(ひょうへん)に混乱します。とりあえず、秀吉に会い、20日以内の国外退去は船が出港しないこともあって無理だと訴えて1カ月ほどの猶予を貰います。

その間も日本各地にあったキリスト教教会の破壊が始まり、長崎にあったイエズス会の土地も没収されます。キリシタン大名には棄教が言い渡され、多くの大名が信仰を捨てますが、高山右近だけは拒否し、改易を言い渡されます。各地にいた宣教師たちは一旦、平戸に集まって善後策を練ります。

コエリョはというと、相変わらず反省などなく、キリシタン大名の有馬晴信(はるのぶ)と小西行長に、秀吉へ宣戦布告するように指示します。武器弾薬、軍艦も提供するから秀吉を倒して日本を奪えと。

もちろん、有馬も小西も動きません。助言も聞かず、勝手に暴走して自分たちキリシタン大名まで危機に陥れたコエリョの言葉に誰が従うでしょうか。強大な力を持つ秀吉と戦って勝てる可能性だってないでしょう。

なにより、有馬も小西もコエリョの人間性を嫌っていました。日頃から日本人を無能者扱いし、敬意を持って接してこなかったコエリョに従う日本人は１人もいなかったのです。

ところが、それでもコエリョは諦めきれず、至急２０００から３０００人のスペイン兵を日本に送ってほしいという書簡をフィリピンの総督、司教、宣教師たちに手当たり次第に送るのです。

コエリョの考えはここでもスペイン王に援軍を要請すべきというもので宣教師たちの反感を買うばかりでした。

もしも、このとき、コエリョの策謀が秀吉の耳に入っていたらイエズス会は完全に潰(つぶ)されていたでしょう。

しかし、幸いにも漏れず、やがて秀吉の怒りも収まるとともに伴天連追放令はうやむやになっていきました。そこにはポルトガルとの貿易を重視する意味もあったのです。というのも、ポルトガル人との交易にはイエズス会の宣教師の存在が欠かせなかったためです。

ただし、キリスト教の布教が解禁されたわけではありません。宣教師はもう黒衣を着てロザリオを首から下げた服装で外に出ることもできなくなりました。教会を建てることも集会を開くことも禁止となってしまったのです。

ジャパン・コンクエスト

この状況をつくった元凶のコエリョですが、相変わらず反省などなく、1590年つまり伴天連追放令が出てから3年後、ベルチョール・デ・モーラという宣教師をマカオに送ります。

マカオにはヨーロッパを廻った天正遣欧少年使節が戻ってきており、日本への案内人として巡察師のヴァリニャーノもついていました。

デ・モーラの役目はヴァリニャーノに会って、天正遣欧少年使節とともに帰国する際、「２００人の兵士と食糧・弾薬をともなわずにもどってきてはならない」と伝えることでした。また、もしも、ヴァリニャーノに会えなかった場合はフィリピンからスペインに渡って直接、スペイン王に日本への遠征を願い出ろとコエリョから言われていたのです。コエリョはまだ日本征服を諦めていなかったのです。

マカオでデ・モーラと会ったヴァリニャーノは話を聞いて驚きます。デ・モーラを連れて日本に帰国すると、コエリョが密(ひそ)かに集めていた武器弾薬を売り払います。武器の中には数門の大砲まであって、それを日本で売っては目立ちすぎるのでマカオに送って密かに処分したほどです。

さて、こういった状況を追っていくと、一部のキリスト教の宣教師たちが日本の征服を考えていたことは明らかです。その代表がコエリョでした。

また、征服まではいかなくとも、明を倒すために、日本の武将たちは役に立つと手駒(てごま)のように考えていた宣教師は決して少なくなかったのです。

例えば、マニラ司教のドミンゴ・デ・サラサールは１５８２年にシナ（明）の武力制圧をうまく進めるためには「シナのすぐ近くにいる日本人がシナ人の仇敵であって、スペイン人がシナに攻め入るときにはすすんでこれに加わるであろう、ということを陛下が了解されるとよい。彼らはシナ人に対しては非常に効果的であろう」とスペイン国王への書簡に書いています。この話は、日本人が宣教師の言いなりになっていることが大前提になっています。

日本の布教長を辞任させられ、マカオのコレジオ（神学校）院長となっていたカブラルもスペイン国王宛てに書簡を送っています。

「（シナの征服には）七〇〇〇乃至八〇〇〇、多くても一万人の軍勢と適当な規模の艦隊で十分であろう。そして、その一部は容易にインドから、一部はフィリピンから、そして一部はペルーやノヴァ・エスパーニャ（メキシコ）から送ることができるであろう。またこれらの土地からこれだけの軍勢や軍艦が調達できない場合は、日本に駐在しているイエズス会のパードレ達が、容易に二〜三〇〇〇の日本人キリスト教徒を送ることが出来るであろう。彼等は打続く戦争に従軍しているので、陸、海の戦闘に大変勇敢な兵隊であり、月に一エスクード半又は二エスクードの給料で、嬉々としてこの征服事業に馳せ参じ、陛下にご奉公するであろう。或いは戦利品の期待から、これより少ない給料で助力してくれるかもしれない。」

ここでも、日本人が宣教師の言いなりになっていることが前提です。

フィリピンのイエズス会司教アロンソ・サンチェスはマカオから当時の日本のガスパール・コエリョに「スペインがシナを征服するための絶好のタイミングが迫っている」という手紙を送ります。サンチェスが日本にこんな手紙を送った理由は、〝日本もそろそろシナ侵攻の準備に入れ〟ということでしょう。

これを読んでコエリョは例の「フィリピン総督閣下に兵隊・弾薬・大砲及び兵隊のための必要な食糧、一、二年間食糧を買うための金を十分に搭載した三、四艘のフラガータ船を日本に派遣してもらいたい」という手紙を返したのです。そうすれば日本を占領でき、シナ侵攻にも協力できるという意味だったはずです。

そしてなにより決定的なのは、これらがすべて宣教師たちの勝手な妄想や希望的観測ばかりではなかったということです。

1587年、フィリピン総督サンティアゴ・デ・ベーラがメキシコ副王に送った書簡には、「昨年、平戸の王の船がフィリピンに現れて、貿易とともに王の伝言を伝えていった」と書かれており、「平戸の王は家臣たちをスペイン王への奉仕のために提供したいと言っている」とあったのです。

「軍勢を必要とする旨要請あり次第、平戸の王及びその友であるキリスト教徒の王ドン・アウグスチンが、十分武装した兵隊を、僅(わず)かな費用で、ブルネイ、シャム、モルッカ、あるいは敵国のシナにも差し向ける用意がある、とのことである。また、彼等はただスペイン国王陛下に奉仕し、名誉をえることを望んでいるにすぎない（中略）日本から容易に六〇〇〇の兵を調達することが出来る旨勧告し、そのための手順を示したが、それは的外れなこととは思えなかった。」（『キリシタン時代の研究』より）

「ドン・アウグスチン」とは小西行長のことで、「平戸の王」とは松浦鎮信(まつらしげのぶ)のこと。鎮信の父松浦隆信(たかのぶ)は南蛮貿易や後期倭寇(わこう)の王の1人王直(おうちょく)を匿(かくま)ったことで知られる松浦党の頭目でした。隆信も鎮信もキリシタンにはならなかったものの、貿易振興に積極的で、1584年には平戸に漂着したフィリピン船を助け、以後、フィリピンとの交易を始めていたのです。

鎮信がスペイン王との交流を望んだのは、当時平戸はポルトガル貿易の権利を長崎に奪われており、平戸を復興させるための起爆剤としてスペインとの貿易を狙っていたためです。

日本とフィリピン双方の思惑が重なってスペイン軍の日本侵攻が開始されるかに見えたのですが、実際にはこの話はすぐに頓挫します。

スペイン王の側に日本及びシナへの侵攻の意思などなかったのです。スペイン・ポルトガルのインド・東南アジア貿易は香辛料の価格の下落、オランダ、イギリスといったライバルの登場で初期の頃とは比べ物にならないぐらい落ち込んでおり、他国に攻め入っている余裕などありませんでした。スペイン王はたびたびシナ侵攻、日本侵攻を煽ってくるフィリピンに向けて「植民地経営に専念しろ」という指示を出したぐらいでした。

キリスト教は日本征服を考えていたのか？

やはり、キリスト教の宣教師たちは日本侵攻を考えていたのです。歴史の本やインターネットの資料などでは、これをはっきり書いていない場合が非常に多いのですが、宣教師たちが日本征服を考えていたことは確かです。

ただし、そこには濃淡がありました。征服を積極的に考えている宣教師もいれば、最後の手段は武力に訴えるしかないのかもしれない、といった消極的な人間もいました。

そのことがよくわかるエピソードを1つ紹介しましょう。

コエリョがマカオに宣教師のベルチョール・デ・モーラを使いに出した件を思い出してください。実を言うとこれはコエリョの独断ではありません。

日本にいた7人の宣教師たちが会議を開いて、デ・モーラの派遣を決めたのです。その中にはコエリョやデ・モーラはもちろん『日本史』で有名なルイス・フロイスもいましたし、オルガンティーノもいました。

果たしてデ・モーラの派遣に賛成したのは誰だったのかというと、オルガンティーノ以外の全員でした。

フロイスら4人は、基本的には中道派でしたが、バテレン追放令が出て3年、満足な布教ができない彼らの心は征服側に傾き始めていたのです。「ここまで来たらこれぐらいしか手はないだろうな……」と。

ですから、宣教師たちが日本の征服を考えていたのか？　という質問はそもそも間違っているのです。

宣教師は世界中に数万人以上いたでしょう。日本にきた宣教師だけでも相当な数にのぼります。そのすべてが日本征服などを考えていたわけがないのです。権力欲に毒された数人の宣教師が日本征服を安易に考えていたものの、それはまったく現実的ではなかった、ということです。

秀吉のフィリピン征伐

1591年、九州平定、小田原征伐を終えて日本統一をほぼ果たした秀吉はその目を海外に向けます。

ここでよく言われるのが朝鮮出兵となる文禄（ぶんろく）・慶長（けいちょう）の役（えき）です。

しかし、その前に、秀吉はフィリピン提督に対して以下の国書を送ります。

「夫吾邦百有余年、群国争雄、車書不同軌文、予（秀吉）也際誕産之時、以有可治天下之奇瑞、自壮歳領国家、不歴十年、而不遺（遺）弾丸黒誌（痣）之地、域中悉一統也、繇之三韓・琉球・遠邦・異域、欵塞来享、今也欲征大明国、蓋非吾所為、天所授也、如其国者、未通聘礼、故先雖欲使群卒討其地、原田孫七郎以商船之便時々来往、此故紹介于近臣曰、某早々到其国、而備可説本朝発船之趣、然則可解弁献筐云々、不出幄帷而決勝千里者、古人至言也、故聴褐夫言、而暫不命将士、来春可営九州肥前、不移時日、可偃降幡而来服、若匍匐膝行於遅延者、速可加征伐者必矣、勿悔、不宣、　天正十九年季秋十五日　　日本国　関白」

大まかな意味は、

「予（秀吉）は10年を経ずして日本を統一し、いまや大明国を征服しようと欲している。であるのに其国（フィリピン、スペイン）はいまだに贈り物を予のもとに持ってこない。よってただちに兵を送ってもいいのだが、降伏するのであれば、来春、九州肥前（ひぜん）にまかりいでよ。もし違約したり、時間稼ぎをするようならば必ず征伐を加える。侮るなかれ」

もしも征伐されたくなければ朝貢(ちょうこう)せよという、降伏勧告状でした。実は秀吉のほうこそ、フィリピン征服、スペイン征服を狙っていたのです。

これを受け取った第7代フィリピン総督のゴメス・ペレス・ダスマリニャスは怒り心頭となりますが、当時、フィリピンの防備は完璧(かんぺき)ではありませんでした。マニラ市を囲む石造りの防御壁もサンティアゴ砦(とりで)も建設中だったのです。

そこで、ゴメス総督は日本の状況を調べるためにドミニコ会のキリスト教宣教師ファン・コボに秀吉への返書と24本の箱入りの宝剣を持たせて日本に送ります。

ところが、1592年、コボは日本に着いて秀吉と謁見できたものの、フィリピンへの帰路で遭難し死んでしまいます。

翌93年、秀吉は再び、フィリピンに使者を送ります。前年のコボの訪問を朝貢と見ていた秀吉は今年も忘れるなという国書を送ったのです。

ゴメス総督は怒りを再び爆発させて、「日本に送るのは弾丸だけだ」と言い放ちますが、結局、フランシスコ会の宣教師ペドロ・バプチスタ、ゴンザロ・ガルシアほか3人（5人説もあり）を使者とし、華麗な馬具を付けたメキシコ産の駿馬（しゅんめ）、玻璃（はり）の大鏡、メッキした墨池（ぼくち）（墨液を入れる容器）、そしてメキシコ銀約120キロを贈り物として献上、日本とフィリピンの通商同盟の締結を提案します。

これでわかるように、フィリピンを占領していたスペイン軍に日本を征服する力などなかったのです。それどころか、秀吉の脅しに屈して事実上の朝貢を行わなければならないほど非力といっていい存在でした。

ですから、秀吉は安心して唐入り、つまり朝鮮征伐に乗り出すのです。

キリスト教は「本当に」日本征服を考えていたのか？

ともかく、日本のイエズス会を救ったのはヴァリニャーノとオルガンティーノでした。しかし、これに異を唱えているのが『キリシタン時代の研究』の高瀬弘一郎氏です。本書を書くにあたって大いに参考にさせていただいた氏の研究ですが、ヴァリニャーノについて、一般に言われているような日本征服反対派だったかどうかに疑問を呈しています。

高瀬氏は指摘します。

「ヴァリニャーノはかねてから〝イエズス会士はキリシタン大名が行う戦争に援助を与えたり、関わるようなことはしてはならない〟と語っており、コエリョもそれは先刻承知のはず。なのに、なぜコエリョはデ・モーラをヴァリニャーノのもとに送ったのか？」と言うのです。

確かにその通りです。

止められることはわかっているのですから、デ・モーラは直接スペインに行ったほうがよかったはずです。

ところが、それをしなかったということは、コエリョはヴァリニャーノが賛成する可能性があると見ていたとしか思えません。つまり、日本征服派だと思える発言をヴァリニャーノはどこかでしていた可能性があったのです。

そういう目で再び、ヴァリニャーノの書簡を見返してみると、「宣教師がキリシタン領主に勧告を与えたり、援助を与える場合云々……」「キリスト教会の利益のために必要な場合、戦争の協力者であることを公言せずに援助せよ」などの表現がちょこちょこ見受けられます。

武力行使に関して完全に反対というわけではなく、それどころか、ヴァリニャーノは1

579年最初の日本の巡察の際に「長崎と茂木に武器と弾薬を集めて防備を固めるように」と指示していたほどでした。

コエリョは確かに短気で浅慮な人間でしたが、ヴァリニャーノの意向を完全に無視していたわけではなかったのです。

よって、ヴァリニャーノはすべての罪をコエリョ1人に負わせて日本のイエズス会を守ったのではないか、それが真相なのではないか、というのが高瀬氏の意見なのです。

しかし、それでもヴァリニャーノは征服反対派だったと私は思っています。

もちろん、高瀬氏の指摘はとても重いものです。氏が指摘するヴァリニャーノの本心＝場合によっては武器の行使、日本征服も致し方ないものであった、を完全否定することはできないでしょう。

ただし、「場合によっては」をどう取るかで判断は大きく変わってくるような気がします。

コエリョやカブラルあるいはフィリピンのサンチェスのような宣教師は「場合によっては」を積極的な武力行使が必要と捉えていました。はっきり言ってしまえば、「スキさえあれば征服を狙っていた」と言っても過言ではないでしょう。

その証拠に、明の皇帝に初めてイエズス会の使節団が送られることになったとき、サンチェスは「その和平を手がかりに戦争に持っていき、それによって真の平和、即ち福音宣布者たちの平和に至ることができるであろう」と書いた手紙をコエリョに送っています。

明への使節とはマテオ・リッチとミケーレ・ルッジェーリ両宣教師のことで、彼らは10年以上中国語と中国文化を学びつつ、中国辺境の地で布教を続けていた2人です。そんな彼らの姿を見て明側からも協力者が現れ、「外国人とは会わない」と言っていた皇帝の心を動かしたのです。

そういう仲間の苦労を思いやることもできず、「その和平を手がかりに戦争に持っていき、それによって真の平和、即ち福音宣布者たちの平和に至ることができる」と平気で書ける人間がサンチェスであり、それに同意できるのがコエリョでした。

では、ヴァリニャーノはどうだったでしょうか？

1582年に彼がフィリピン総督に送った書簡を紹介したいと思います。この書簡は、明の征服の可否についてサンチェスが尋ねてきた直後に書かれたものです。

「これら東洋に於ける征服事業により、現在いろいろな地域に於いて、スペイン国王陛下に対し、多くのそして大きな門戸が開かれており、主への奉仕及び多数の人々の改宗に役立つところ大である。これら征服事業は、霊的な面ばかりでなく、それに劣らず陛下の王国の世俗的な進展にとって益する。そしてそれらの征服事業の内、最大のものの一つは、閣下のすぐ近くのこのシナを征服することである。尤もそれは着手すべき時宜と条件に適えばのことである。」

最初は征服事業を認めているように書いていますが、それは「時宜と条件に適えば」であると、これを事実上否定しているのです。

それを証明するように、そのあとに続く文章は「(シナ征服は)妥当な計画を立てずに実行するとシナ人との貿易を失い、しかも、莫大な経費を要するにもかかわらず、何ら益するところがない」「私は多くの人が、それ(シナ征服)について語り、いろいろ多くの計画を立てているのを耳にしているが、その計画が的を射たものではないことは疑いない」「マカオ市の安定は、いずれ時宜をえて改善し安定策をほどこすまでは、現在のところ、シナ人との友好関係を保つ外に、それを維持することはできない」とはっきり書いています。

ヴァリニャーノは「時宜と条件」を＝永遠にやってこない未来、という意味で使っており、シナ征服など考えないでほしいと訴えているように私には感じられるのです。

また、日本征服についても同じ書簡でこう語っています。

「私は閣下に対し、霊魂の改宗に関しては、日本布教は、神の教会の中で最も重要な事業の一つである旨、断言することが出来る。何故なら、国民は非常に高貴且つ有能にして、理性によく従うからである。尤も、日本は何らかの征服事業を企てる対象としては不向きである。何故なら、日本は私がこれまで見て来た中で、最も国土が不毛且つ貧しい故に、求めるべきものは何もなく、また国民は非常に勇敢で、しかも絶えず軍事訓練をつんでいるので、征服が可能な国土ではないからである。しかしながら、シナに於いて陛下が行いたいと思っていることのために、日本は時とともに、非常に益することにもなるであろう。それ故、日本の地を極めて重視する必要がある。」

超論理的かつ強い文章です。日本を征服するのは難しく、しかも金にならない、と書く一方で、シナ征服には重要な存在なので大切にしたほうがいい、と最高の守り方をしています。

シナの征服は、いまはやめたほうがいいけれど、〝将来〟は可能なので日本は大事ですよ、と言いつつ、そんな〝将来〟など絶対に来ないよう断固阻止するという決意がよく伝わってくる文章だと私には思えます。

結局、巷間(こうかん)言われる「キリスト教宣教師はスペイン・ポルトガルの尖兵となって日本征服を狙っていた」という話は、それを狙っていた宣教師もいれば、そんなことは絶対にさせないと固く決意していた宣教師もいた、ということです。

コエリョ、カブラル、サンチェスのように日本を攻めるのは当然だと思っていた宣教師もいれば、ヴァリニャーノ、オルガンティーノ、マテオ・リッチ、ミケーレ・ルッジェーリらの宣教師たちは自国の兵隊たちが荒らし回らないよう、東アジアを守ろうとしたのは確かなのです。そして、征服反対派は全員、現地の文化を尊重し、それに自らをあわせていく適応主義で布教をしていた人でした。

フランシスコ・ザビエルがつくり、オルガンティーノが完成させ、ヴァリニャーノが普及させた適応主義。これに則（のっと）って布教を行っている宣教師たちの「場合によっては」は、カブラル、コエリョ、サンチェスといった白人至上主義者とはおのずと違っていたということです。

第3章　奴隷と資本主義

キリスト教宣教師と日本人奴隷

第2章では、「キリスト教の宣教師は外国の尖兵となって日本征服を狙っていたのか?」について考察しました。

答えは征服を狙っていた宣教師もいれば、絶対に阻止しようとしていた宣教師たちもいたということです。

また、スペイン王は本心では日本や明の征服をしたかったのでしょうが、経済的に許される状況ではなかったので征服は考えていなかった、というのが正しいところでしょう。つまり、日本を征服したくともできなかったのです。これが「宣教師は日本征服をする意思を持っていたのか?」の答えです。ごく一部の宣教師にはその気持ちがあったのですが、現実的には無理だったのです。

では、キリスト教宣教師に対するもう1つの疑問である日本人奴隷とのかかわりはどうでしょうか?

近年、多くの専門書や論文がイエズス会と奴隷売買の関係について記述しています。そしてそのほとんどがイエズス会が奴隷売買にかかわっていたことを認めています。ローマ・カトリック教会もイエズス会も歴史的事実に対して正面から向き合おうとしているようです。

これを踏まえて、改めて言いますと、キリスト教の宣教師が日本人奴隷の売買にかかわっていたことはすぐにわかります。かかわっていたのか、どうかと議論する以前の問題です。なぜなら、日本人奴隷は全員、洗礼名を持っていたからです。洗礼名を持っているということは受洗したことを意味しますから宣教師がかかわっていないわけがありません。

ただし、その一方でイエズス会からローマ教皇に向けて何度も人身売買の禁止が訴えられていたことも確かでした。

洗礼名を与えていながら奴隷禁止も訴える。矛盾するこの行動の中に、当時のイエズス会宣教師たちが抱えていた大きな葛藤（かっとう）があったのです。

これまでずっと曖昧（あいまい）な表現をされてきたイエズス会と日本人奴隷の関係について考察していきましょう。

『日葡辞書』に記された奴隷関連の言葉

ルシオ・デ・ソウザ著『大航海時代の日本人奴隷』（中公新書）には、「イエズス会と奴隷貿易」と題した章があります。そこには以下のような一文があります。

「有名な秀吉の伴天連追放令（一五八七年）には、ポルトガル人が『大唐、南蛮、高麗』へ日本人を奴隷として連れ去っていることが挙げられている。なぜ、ポルトガル人が日本でおこなう非人道的な行為が『伴天連（イエズス会）』の追放の根拠となるのであろうか。それはこの問題にイエズス会が深く関与していたからに他ならない。」

と、この著者ははっきりイエズス会が日本人奴隷売買に深く関与していたと書いており、その証拠の1つとして『日葡辞書』を引き合いに出しています。

『日葡辞書』は1603年から1604年に長崎で発行された日本語＝ポルトガル語辞書でイエズス会が発行しました。

発行の理由はイエズス会宣教師が日本人との会話をスムーズに進めるためのものでそこには当然、日常的によく使われる日本語がポルトガル語に訳されていたのです。

そのイエズス会宣教師が日常的によく使う日本語の中に、「ヒトカドイ＝人攫い」「ヒトアキビト＝人商人」「ヒトカイブネ＝人買い船」があり、ポルトガル語として「Fitocadoi」「Fitoaqibito」「Fitocaibune」と訳されています。

人攫いたちは戦争で捕まえた捕虜を人商人に売ります。人商人は奴隷を欲していたポルトガル商人に捕虜を売って儲けていたのです。

人買い船ともされた当時のキャラック船（マゼランのサンタマリア号の復元）

ポルトガル人は日本人奴隷を買うと早速、教会へと向かいます。もちろん、洗礼を受けさせるためで、驚いたことにイエズス会の宣教師たちは奴隷たちに授洗するだけでなく、「その場でその者の購入者が合法であることを示す証書を発行した」（『大航海時代の日本人奴隷』より）というのです。

しかも、その場所は日本イエズス会の本

部である長崎の聖パウロ教会であり、洗礼を授けたのはコレジオ（神学校）の院長アントニオ・ロペスだったことが奴隷売買の証書からわかっています。

二枚舌のコエリョ

このような日本人奴隷の話を知った豊臣秀吉は1587年6月19日、イエズス会宣教師ガスパール・コエリョに詰問します。「ポルトガル人が日本人を奴隷として大量に買っているという話は本当か？」と。ちなみに、この日はコエリョが例のフスタ船を披露した日でもありました。

秀吉の問いに対してコエリョは「ポルトガル人が日本人を買うのは、日本人が売るからである」「パードレたちはこれを大いに悲しみ、防止するためにできるだけ尽力した」「殿下（秀吉）が望まれるならば、日本人の異教徒の領主に日本人を売ることを止めるように命じるべきだ」（『イエズス会日本年報・下』より）と答えたと言われています。要は、「日本人が日本人を奴隷として売るから悪いのだ」という言い方です。

しかし、そのコエリョは同じ年の10月にローマのイエズス会総長クラウディオ・アクアヴィーヴァにこんな書簡を送っています。

「日本のパードレたちが中国に向かう者たちに対して奴隷証書を発行することからポルトガル商人たちは大きな不正を日本人の奴隷の売人と共におこなっている。哀れな奴隷たちが船に積まれて海を渡っていくことの悲しい光景を目のあたりにし、大きな哀れみと悲しみを感じずにはいられない。」

ここでは「日本のパードレが奴隷証書を発行するから悪い」と書いています。なぜ、コエリョはこんな二枚舌を使っているのかというと、イエズス会総長に対する言い訳でしょう。伴天連追放令の原因を作ったコエリョは各方面に書簡を送って自己弁護に努めましたが、たぶん、この書簡では「日本に古くからいるパードレたちが奴隷貿易に関与してきたので自分はどうすることもできなかった」と書きたかったのではないかと思われます。

しかし、この書簡によってコエリョが秀吉に対してウソをついたことは明白になりました。コエリョは日本のイエズス会宣教師たちが奴隷に洗礼を施し、奴隷売買の証書まで発行していたことを知っていたのです。あの日、秀吉に語った「パードレたちはこれを大いに悲しみ、防止するためにできるだけ尽力した」という言葉は真っ赤な嘘でコエリョは宣教師たちが奴隷売買にかかわっていたことを承知し、容認していたのです。

そもそもコエリョが日本がやってきたのは1572年です。そのときはもうポルトガル人による日本人奴隷売買は行われていたわけで、彼は秀吉に詰問された段階で15年も奴隷売買を放っていたのです。それを自分の立場が危うくなるといきなり手の平を返して「哀れな奴隷たちが船に積まれて海を渡っているということの悲しい光景を目のあたりにし、大きな哀れみと悲しみを感じずにはいられない」といった言葉をイエズス会総長に向けて書いたのがコエリョという人間でした。

前述したようにコエリョはもともと日本人を軽蔑し、野蛮人だと思っていましたからたぶん本心では奴隷で十分だぐらいは思っていたのではないかと思われます。

このような人間が日本イエズス会のトップとして15年以上いたのですから、日本人の奴隷売買がやむはずはなかったのです。

天正遣欧少年使節団の真実

ところで、ポルトガル人による日本人奴隷の売買の話が始まると必ずと言っていいほど言及されるのが『デ・サンデ天正遣欧使節記』（雄松堂出版）です。

使節に参加した千々石（ちぢわ）ミゲル、伊東マンショらが会話形式で語るこの『使節記』の中で、日本人奴隷の姿をたびたび目にしたと書かれています。

これでわかるように当時、日本人奴隷がポルトガル商人の手によってアジア各地、中にはヨーロッパやアメリカにまで売り飛ばされていたことは事実でした。

ミゲルたち少年使節団はそんな不幸な日本人奴隷の姿を見て怒るわけですが、その怒りの矛先（ほこさき）はなぜか、日本人なのです。

例えば、ミゲルは「旅の先々で、売られて奴隷の境遇に落ちた日本人を親しく見たときには、道義をいっさい忘れて、血と言葉を同じゅうする同国人をさながら家畜か駄獣かのように、こんな安い値で手放すわが民族への義憤の激しい怒りに燃え立たざるを得なかった」と言っています。

これを聞いたミゲルの従兄弟（いとこ）のレオも「しかし、人によってはこの罪の責任を全部、ポルトガル人やイエズス会のパードレ方に負わせ、これらの人々のうち、ポルトガル人は日本人を欲張って買うのだし、他方、パードレたちはこうした買い入れを自己の権威でやめさせようとしないのだと言っている」と返します。

なんとここでも「日本人が日本人を売るから悪いのだ」と言っているのです。これはガスパール・コエリョが豊臣秀吉になぜ日本人を奴隷にするのだ、と詰問されたときと同じ返事です。


最初にこの文章を見たとき、少年たちは旅の途中で「日本人が同胞を奴隷として売るから悪いんだ」とポルトガル人たちから散々吹き込まれたためにこうなってしまったのかと思いました。

しかし、それは間違いでした。『デ・サンデ天正遣欧使節記』を実質的に書いたのは、当時にマカオにいた巡察使ヴァリニャーノでした。彼が同じくマカオのイエズス会宣教師ドゥアルテ・デ・サンデに命じて書かせたものが同書だったのです。

つまり、日本人が日本人を売るから悪いのだ、という言い訳はコエリョだけのものではなく、日本イエズス会全体の意見でもあった可能性が出てきたのです。

ちなみに、この本が出版されたのは１５９０年で、天正遣欧少年使節団が日本に帰国したと同時に発刊されています。

ということは奴隷貿易に関して日本イエズス会は40年以上に渡って関与してきたことは間違いないのです。

答えを保留にしたロヨラ

この奴隷問題についてはカトリック教会もイエズス会も常に頭を悩まされるところでした。野蛮なポルトガル商人たちにとっては現地人など奴隷で十分だと思っていたかもしれませんが、宣教師にとっては本来であれば見過ごすことができない人道的な問題でした。布教ということを考えれば、ポルトガル商人たちの船に乗らなければ移動ができません。その中で、なんとか人道的な答えに辿(たど)り着こうという葛藤が常にあったのです。

その証拠が１５５０年の、ある書簡です。

インドのゴアのイエズス会宣教師たちがイエズス会の創設者であるイグナチオ・デ・ロヨラに対して「アジア人の奴隷化は正当か？」という質問書簡を送ったのです。ちなみに、フランシスコ・ザビエルがゴアに到着したのは１５４２年ですから、ゴアの宣教師たちは最初に、ロヨラとともにイエズス会をつくったザビエルに答えを求めたのではないでしょうか？　しかし、ザビエルでも答えることはできず、１５４９年にはザビエルは日本に旅立ってしまいます。そして「現地ではもう判断できない」ということで創始者のロヨラの知恵にすがったのでしょう。

果たして、ロヨラの答えは「現地インドのイエズス会の判断に任せる」というものでした。

なんと、ロヨラでさえ、結論を出せなかったのです。いえ、結論はそもそも出ています。人身売買が合法であるわけがないのです。しかし、それを合法にしなければいけない数々の現実的事情が絡んでいたために、ロヨラは答えることを保留にしてしまったのです。しかし、現場に任せるということはポルトガル商人の利益も考慮しろということであり、現実問題として奴隷化は正当化せざるを得ません。

となれば、次なる問題となってくるのが、何をもって奴隷売買、人身売買を正当化するのかという点です。

ここで宣教師たちはキリスト教徒とイスラム教徒の戦いの中で捕虜となったイスラム教徒は奴隷としてもいいという「正戦論」を持ち出したのです。正戦論とは、異教徒がキリスト教の権威を認めないのであれば正戦を仕掛ける十分な理由となり、正戦で発生した戦争捕虜は奴隷としても構わない、というものです。

実はこの正戦論はアジアだけでなく、当時のアフリカやアメリカでも使われたもので、ポルトガル人、スペイン人は正戦論を使ってアフリカの黒人やアメリカのインディオたちを奴隷とすることを合法としていたのです。

そして１５６７年、インドのゴアで第１回イエズス会地方会議が開催されます。そこでの議題の１つは奴隷の合法化でした。ここで正戦論が持ち出されて、アジア全体におけるアジア人の奴隷化は合法と認めてしまったのです。

以後、これがアジア人奴隷に関する約束事となり、日本でも活用されるようになるのです。

奴隷売買にお墨付きを与えた宣教師

では、日本における奴隷の合法化の現実とはどういうものだったのでしょうか？

やはり正戦論を使ったもので、カトリックに改宗した大名が改宗していない大名と戦い、捕虜として捕えられた非キリスト教徒は合法的な奴隷と認めるというものです。

しかし、それは建前で人商人が連れてくる人々は必ずしもカトリック大名に敗れて捕虜になった人間ばかりではありませんでした。

乱取りで攫（さら）われてきた女、子供や、親が売った子供、自分で自分を奴隷として売る人間など正戦論とはまったく関係ない人間が多数連れられてきたのです。

さらに秀吉の朝鮮出兵が始まると大量の朝鮮人が捕虜として日本に連れてこられてもいます。もちろん、彼らのほとんどは合法化できるような人間ではありません。

しかし、イエズス会宣教師たちは洗礼を与え、あまつさえ売買契約にまで立ち会いました。

奴隷の契約には終身契約や12年契約、戦闘用の契約、売春契約などいろいろな種類があり、奴隷の年齢や性別、主人の要望などによってさまざまに変わってきます。これらを取り仕切っていたのも宣教師だったのです。

つまり、宣教師たちは非合法な取引にまで授洗を施し、奴隷売買にお墨付きを与えていたのです。

結局、イエズス会が奴隷貿易から手を引いたのは１５９６年で、イエズス会宣教師ペドロ・マルティンスの来日によって事態は好転します。マルティンスは奴隷貿易に宣教師がかかわっていることを知ると即座に奴隷貿易にかかわった人間を破門にしました。日本人、ポルトガル人問わずです。

ただし、奴隷貿易はよほど儲かったのでしょう。ポルトガル商人たちは懇意にしている宣教師に特別に頼んで裏取引で洗礼してもらったり、奴隷許可書を発行してもらっていたようですが、奴隷貿易にイエズス会宣教師がかかわることは次第に薄れていき、98年には奴隷の合法化を支持することもやめ、司法に委ねるという方策をとるようになっていったのです。

以上がイエズス会と奴隷売買のかかわりです。

結論から言えば、やはり、イエズス会は奴隷貿易の1つの担い手になっていました。

しかし、前述したようにイエズス会はこの問題に関して最初からノーという気持ちをずっと抱いていました。

ところが、ノーと簡単に言えない事情があったのです。

実を言えば、奴隷貿易にかかわっていたのはイエズス会だけではなかったのです。ローマ・カトリック教会全体が奴隷貿易と関係していたのです。

カトリック教会と奴隷

西山俊彦（にしやまとしひこ）神父著『カトリック教会と奴隷貿易』（サンパウロ）には、カトリック教会が奴隷貿易に加担していた歴史と反省が記されています。

いまのキリスト教では考えられないことですが、当時は先住民族たちの土地を略奪し、従わなければ奴隷にしていいという許可をローマ教皇が出していたのです。

一体なぜ、教皇はそんな命令を出したのかというと彼らが異教徒だからです。

「キリスト教を知らない異教徒が神の土地を勝手に使用することは罪ではないが、キリスト教を知った瞬間、土地もそこからの収穫物もすべて神の手に返さなければいけない。そして、神から改めてペテロの生まれ変わりであるローマ教皇に託される」という理屈で、「教皇には全世界の財産権がある」という考え方をしていたのです。そして、もしも、教皇の命に従わなければ、神の敵であるので殺そうが、奴隷にしようが自由なのです。もしも、従うのであれば、神の御心のままに殺そうが、奴隷にしようがやはり自由なのです。

こういった考えのもと、教皇ニコラウス５世は１４５２年６月に出した勅書『ドゥム・ディヴェルサス』でポルトガル王アルフォンソ５世に異教徒を永遠の奴隷にしてもいいとする許可を与えます。

さらに１４５５年には勅書『ロマーヌス・ポンティフェックス』を出し、異教徒の土地と財産、人としてのすべての権利をポルトガル王に独占的に委ねてもいます。

また、教皇アレクサンデル６世の時代になるとスペインにもポルトガルと同様に先住民族の土地を奪い、奴隷にしてよいという権限を与えます。

このように１４００年代には異教徒の奴隷化はローマ教皇によって合法とみなされていたのです。

１５５０年にロヨラが「アジア人の奴隷化は合法なのか？」と尋ねられても答えることができるわけがなかったのです。教皇の言葉に従えば、答えはおのずからイエスでした。しかし、そう答えず、現地の判断に任せるとしたところにロヨラの苦渋が見て取れるでしょう。

無意味で白々しい勧降状

実際の合法化の手続きですが、例えばこんな感じです。

南米大陸を攻める際にはインディオに対して勧降状（降伏勧告状(レケリミエント)）を読み上げます。内容はローマ教皇アレクサンデル6世が南米大陸をスペインの王に与えたと記された宣告文です。この命令に従えば、奴隷として生きることを許す。従わなければ神に背いた罪により殺され、生き残った場合は奴隷にするというものです。

いずれにせよ、これから奴隷にするという宣告文なのです。

これを攻撃直前に読み上げるわけですが、別にインディオたちが聞いている必要もありませんし、たとえ聞いたところでスペイン語ですからわかりはしません。

スペイン人たちはともかく南米に着いたら、最初にこれを読み上げることが大切なのです。そうすることで神からの勧降はすでになされたことを意味したからです。

いま聞けば「そんなデタラメな話があるだろうか」と思ってしまいますが、1521年にエルナン・コルテスがアステカ帝国を滅ぼした際も勧降状は朗読されています。ローマ教皇アレクサンデル6世が南米大陸をスペインの王に与えたこと、教皇と国王の権威を認めて宣教師たちを受け入れよとスペイン語で言っています。ただし、ローマ教皇は「先住民に態度を決定するための猶予期間も与えなければいけない」と厳命していました。

ですから、コルテスは「猶予期間を与える」と言うのですが、その直後に、

「もし承諾せず、悪意をもって引き延ばすのであれば私は神の加護を得てあなた方の土地へ押し入り、行く先々で万策を尽くして戦いを仕掛ける。そしてあなた方を教会と陛下に従わせ、あなた方と妻子を捕らえて奴隷とし、陛下の命じるままに奴隷として売却したり、扱ったりすることになろう。その結果、あなた方が生命を失ったり、多大な害を蒙(こうむ)ることになっても、それは陛下や私の罪ではなくあなた方の所為(せい)である」（『カトリック教会と奴隷貿易』より）

と宣言し、ただちに攻撃を開始するのです。

なんという醜いやり方でしょうか。こんなことをするぐらいなら有無を言わせず攻撃したほうがまだすっきりしているでしょう。西山神父も『カトリック教会と奴隷貿易』の中

で書いています。「このやり方は征服者の良心だけを安んじさせるもの」だったのです。

この非道の勧降状はフランシスコ・ピサロがインカ帝国を滅ぼした際にも読まれていま す。インディオを攻める際に常に読み上げられて、征服者の心を癒やし続けたのです。

奴隷化の残虐性を訴えたドミニコ会のラス・カサス

一方、教会ぐるみのこの残虐非道に反対する宣教師もいました。ドミニコ会の宣教師ラス・カサスです。

彼は著書『インディアスの破壊についての簡潔な報告』（岩波文庫）の中で奴隷狩りの実態を赤裸々に明かしていきます。

「キューバ島に住んでいたインディオたちはエスパニョーラ島のインディオたちと同じように、全員奴隷にされ、数々の災禍を蒙った。仲間たちがなす術（すべ）なく死んだり、殺されたりするのを目にして、絶望の余り、みずから命を絶った」

「地上の楽園ともいうべきナコとホンジュラスで、一五二四年から一五三五年までの十一年間に彼ら（スペイン人征服者）は二百万人以上のインディオを殺害し、その結果、生き残っているのは僅か二百人ほどの奴隷状態の人々だけである」

「インディオは金がなかったので彼ら（スペイン人征服者）は人々を元手に財産を築こうと考え、殺さずにおいたインディオたちを手当たり次第に奴隷にした。そして奴隷がいるという噂を聞いてやってきた多くの船へその大勢のインディオを送った」

「インディオにとってキリスト教徒という名前ほど憎らしく忌まわしいものはありません。彼らはキリスト教徒のことを彼らの言葉でヤレスと呼んでいますが、それは悪魔という意味であります」


ラス・カサスは『インディアスの破壊についての簡潔な報告』の中で、ローマ・カトリック教会を痛烈に批判したのです。

カトリック教会が最も世俗的になっていた時代

実はこの時代、ローマ・カトリック教会が最も世俗的になっていた時代でもありました。

特にスペイン王に奴隷化の許可を与えた教皇アレクサンデル6世は史上最悪の教皇、悪魔の教皇とまで言われたこともあるルネサンスを代表する世俗化教皇でした。金を払えば罪がなかったことにできる免罪符を教会内で売り出すなど、金儲け主義に走る一方で、姦淫にも耽ります。

アレクサンデル６世を
悪魔に擬した風刺画

母親が不明な庶子を多く持ち、愛人の一人ヴァノッツァ・カタネイに生ませた息子チェーザレ・ボルジアをわずか16歳でバレンシアの大司教に取り立てるなど縁故主義にも走ります。ただし、縁故主義＝ネポティズムはアレクサンデル6世が始めたわけでなく、それ以前の教皇から始まっていました。

つまり、ローマ・カトリック教会はアレクサンデル6世の時代に急に世俗的になったわけではなく、何代も前から教皇の堕落化は始まっていたということです。アレクサンデル6世はその世俗化、堕落化した教皇の象徴的存在だったわけです。奴隷の合法化は、こういった世俗化した教皇によってもたらされたのです。
堕落するローマ・カトリック教会に対して本当のキリスト教とは清貧であると訴える人々も出てきます。彼らはキリスト教の福音をあまねく世界に届けるために辺境の地に向かいました。ところが、そこで彼らを待っていたのは現地の人々を蹂躙（じゅうりん）し、殺戮（さつりく）するポルトガル人とスペイン人たちでした。

彼らと行動をともにしなければいけない宣教師たちは、残虐非道な行いに対して文句を言うことができませんでした。それどころか、その行いはローマ教皇から許可されたものです。現場の宣教師が文句を言える立場ではなかったのです。

また、宣教師の中にはコエリョのようにもともと差別的な人もいたでしょう。彼らにしてみれば、奴隷化を含む残虐非道な行為も清浄化へとつながるものだと本気で思っていた可能性だってありえるのです。

そういった事情もあって辺境で布教活動を行う宣教師たちは奴隷化に対して強く反対できなかったということもあったのです。

プロテスタントとカトリック、ヨーロッパを二分する勢力

堕落したローマ教皇に対して清貧こそが正しいキリスト教の道であるとして生まれたのが托鉢(たくはつ)修道会系(フランシスコ会、ドミニコ会など)の宣教師たちでした。インディオたちを擁護したラス・カサスもそのうちの1人です。彼らは堕落し始めていたカトリック教会を内側から浄化するよう努力していました。イエズス会は逆にローマ教皇に絶対服従を誓うカトリックの精鋭集団を自負し、高い教養と霊操という独特の修行体系をもって世界各地の辺境で布教活動を行っていました。

その一方で、反カトリック運動を行ったのがマルティン・ルターらプロテスタントです。ルターが始めたプロテスタント運動はドイツを中心にオランダ、デンマーク、北はスウェーデン、ノルウエー、フィンランド、南はカルヴァン派を中心にスイスなどへと広がっていきます。

このようにローマ教皇の堕落はキリスト教内部の分裂や離反の原因になっていきます。特にカトリック対プロテスタントの対立はヨーロッパを二分し、戦争の火種にもなってい

きます。さらにこの二分するヨーロッパの動きはアジアにも大きな影響を与えたのです。

カトリックを擁護する国はスペインとポルトガルでした。1492年、イベリア半島ではレコンキスタが達成され、スペイン、ポルトガルはキリスト教国となります。イスラム勢力を半島から追い出したアラゴン王フェルナンド2世とカスティーリャ（スペイン）女王イサベル1世は教皇アレクサンデル6世からカトリック両王という称号まで貰います。スペイン、ポルトガルは名実ともにカトリックの代表国になったのです。

しかし、レコンキスタ前のイベリア半島ではイスラム教、キリスト教、ユダヤ教などの宗教が渾然一体となっていました。イスラム勢力は他宗教に対して寛容だったのです。ところが、レコンキスタが成ってしまうと、カトリック両王はキリスト教以外の宗教を否定します。ずっと敵であったイスラム教を禁止するだけでなく、ユダヤ教徒、ユダヤ人まで排斥し始めたのです。

このとき、ユダヤ人には2つの選択肢がありました。ユダヤ教を捨ててスペインに残るか、ユダヤ教を守ってスペインを捨てるかです。

多くのユダヤ人はスペインを捨ててオスマン帝国に向かいました。オスマン帝国はユダヤ教を否定しなかったからです。

現オランダのネーデルラントに向かったユダヤ人も多数いました。プロテスタント運動が盛んで反カトリックの人々が多く住むネーデルラントではユダヤ教も容易に受け入れられたのです。

しかし、当時ネーデルラントの13州はハプスブルク家の領地でした。ハプスブルク家は神聖ローマ帝国、スペインの王でもあったので、ネーデルラントはスペインの一部でもあったのです。

スペイン王は反カトリック勢力が集まるネーデルラントに重い税をかけたり、プロテスタント運動の弾圧を行います。これに怒ったネーデルラント13州はついに独立戦争を仕掛けるのです。このとき、独立戦争を支えたのがユダヤ人の資本家たちでした。かつてスペインで活躍していたユダヤ人銀行家、ユダヤ商人たちの多くは自由なネーデルラントに移住しており、独立運動を助けたのです。

第1章で登場したオランダ東インド会社ＶＯＣの設立に深く寄与したのもスペインが追い出したユダヤ人商人たちだったのです。

ちなみに、イベリア半島に残ったユダヤ人もいました。

彼らはユダヤ教を捨ててキリスト教に改宗することを選びました。

しかし、スペイン人たちは改宗したユダヤ人＝改宗キリスト教徒を信用しませんでした。本当はユダヤ教を信仰しているのに形だけキリスト教信者のふりをしていると決めつけ、マラーノ（豚の意）と呼んで迫害を始めます。これがのちに異端審問となり、多くのユダヤ人が火炙り（ひあぶり）にされる原因となっていったのです。イベリア半島で魔女狩りが異常に多いのはユダヤ人差別が原因でした。

教皇の堕落、ヨーロッパにおけるプロテスタントの隆盛によって、ローマ・カトリック教会はピンチに立たされます。

そこに登場したのが前述したイエズス会と托鉢修道会でした。特にロヨラがつくった辺境の地で宣教に従事するイエズス会は、まさに神が使わしたと思えるほどのベストなタイミングで教皇の前に現れたのです。彼らは命を懸けて未開の地に赴き、キリスト教を広める覚悟を持った人々でした。

ローマ・カトリック教会は彼らをアジアや新大陸へと送り、そこをカトリックの地とすることで再び、ローマ教会の威信を取り戻そうとしたのです。しかし、そのことがイエズス会を図らずも奴隷貿易へと引きずり込んでしまったのです。

以上がイエズス会と奴隷とのかかわりであり、ローマ・カトリック教会と奴隷とのかかわりです。

奴隷こそが資本主義の根幹

ところで、この第3章のタイトルは「奴隷と資本主義」です。であるのに、ここまでずっと奴隷の話ばかりで、一度も資本主義の話が出ていません。

しかし、私はずっと資本主義の話をしてきました。それは「奴隷が資本主義の根幹の1つ」であるからです。

例えば、自動車にしてもＩＴ機器にしても洋服にしてもいかに原価を安くするかが資本主義で儲けるための基本中の基本です。

では、原価を安くするためには何が一番効率的でしょうか？

そうです、人件費を抑えることです。無料にすることができれば最高でしょう。しかし、人件費を無料にするということは奴隷制度を導入する以外に方法はありません。大量の奴隷を捕まえて無料でこき使う。これが最も儲かるやり方なのです。

これが始まったのが大航海時代でした。〝新大陸〟を発見したと騒ぎ、その土地で平和に暮らしていた人々を異教徒だと決めつけて奴隷化する。この奴隷を使役することで産物を生み出して、それをまた異教徒たちに売りつける。

こういったシステムをつくり出したのがＶＯＣをはじめとしたグローバリストたちでした。いまの格差社会の雛形（ひながた）はすべてここから始まっているのです。ですから、私はこの時代に焦点を絞っているのです。

では、次から資本主義のもう1つの根幹である「お金」を見ていきましょう。といってもこの時代のお金はゴールドではなく、銀でした。

大量の銀が世界を動かしていたのです。

そして、当時、世界で最も銀を産出していたのが日本とスペインだったのです。

第4章　銀の時代

カトリック勢力の金庫番

そもそもヨーロッパでは中世時代から銀は通貨としての機能を持っていました。そのいい例が「大航海時代以前のヨーロッパでは香辛料が同じ重さの銀と交換されていた」という逸話です。金ではなく、圧倒的に銀が物の価値を担保し、交換手段となっていました。

では、その銀を牛耳っていたのは誰でしょうか?

それはドイツ、アウクスブルクのフッガー家でした。

フッガー家は南ドイツ周辺(ボヘミアの町ザンクト・ヨアヒムスタールや、オーストリアのチロルなど)の谷に点在する銀山の権利を持っていました。当時、世界の銀の4分の3がこの南ドイツ周辺で掘り出されており、ここで作られたターラー(谷の意)銀貨が、ヨーロッパの本位通貨となります。ターラー銀貨の影響力の大きさはターラー=thaler の名がのちの英語のダラー=dollar の語源になったことでもわかるでしょう。ターラー銀貨こそがヨーロッパ人にとっての通貨の代名詞となっていったのです。

フッガー家は銀山の経営や銀貨を発行するだけでなく、ハプスブルク家のマクシミリアン1世（フェリペ2世の曽祖父）や同じくハプスブルク家のカール5世（フェリペ2世の父）などの王族や、ローマ教皇などに高利で融資することで財を膨らませていました。一言で言ってしまえば、ローマ・カトリック勢力の金庫番がフッガー家だったのです。

ところが、フッガー家は16世紀の終わりから17世紀初頭にかけて没落してしまいます。なぜか、といえば、ハプスブルク家であるスペインの王がフッガー家からの融資を何度も焦げ付かせたからです。

しかし、これを聞いて不思議に思う読者も多いでしょう。なぜなら、スペイン王は南米にポトシ銀山という世界一の産出量を誇る銀山を持っていたからです。ポトシ銀山の産出量は年間200トンです。加えてスペインはメキシコでも巨大な銀山を発見し、そちらは年間100トンを超えていました。

対してフッガー家が持っていた南ドイツの銀山の産出量は年間30トンほどです。それでも当時（大航海時代以前）の世界の銀の4分の3の産出量だったのですから、スペイン王が南米で発見した銀山の大きさがどれほどのものだったかはわかるでしょう。

であるのに、スペイン王はフッガー家に借金を返すことができず、あまつさえ、債務不履行を何度も繰り返したのです。

王たちに融資するのは愚の骨頂

なぜ、スペイン王は借金を返さなかったのでしょうか？

答えは戦争です。当時のスペインはオスマン帝国との戦争、フランスと戦ったイタリア戦争、ネーデルラントの独立戦争、さらにはイギリス戦争など、何十年にも渡って戦争を繰り返していました。戦争には当然、戦費がかかります。フッガー家から借りていた金はその戦費に使われていました。

特に宿敵フランスとたびたび争ったイタリア戦争ではほぼ勝利をおさめていたものの、１５５７年、突如破産を宣告します。同じ年にフランスも破産してしまいます。

両者共倒れになってしまった要因はイタリア戦争が長引いたためです。１４９４年から始まり、何度か休戦を挟みながら１５５９年の終戦まで65年間も続いたイタリア戦争です。その長きに渡った戦いによって、両国の資産はとっくに尽きて借金まみれになっていたのです。

スペイン王家は王室収入である十字軍税、教会領からの地代、売上税などのほか、アメリカ大陸から王室の船団が送ってくるはずの銀、そして奴隷貿易権（アシエント）を担保に、戦費を前借りして戦争を行っていました。その前借りが、どれほどの額だったのかというと、スペイン全盛期の王と言われたフェリペ2世が王位についたとき、王室の収入は5年先までフッガー家に差し押さえられていたほどです。

ですから、年間300トンの銀が入ってこようがスペイン王室の収入は右から左、すべて債権者のもとに流れていってしまったのです。

しかし、そうなるとフッガー家が没落してしまう理由がわかりません。年間300トンと言われる銀の大半が懐に入ってきたはずですから、フッガー家はますますヨーロッパの覇者となっていなければおかしいでしょう。

ところが現実はフッガー家の破産です。こうなってしまった理由は1つです。スペイン王家の借金の踏み倒しです。

例えば、スペイン王室は戦費が足りなくなってくると返済用の銀を突如、没収し、債務証書を1枚渡して強引な借り換えをするのです。

フッガー家に返済する予定だった銀は、傭兵（ようへい）の給料や武器弾薬の購入費、船を造るための材木の代金、そしてもちろん生活必需品や食料を買うために消えてしまいます。つまり、スペイン王室に入ってきた銀は債権者のフッガー家ではなく、ヨーロッパの商人たちの手に渡ってしまっていたのです。「融資をするのであれば、王家ではなく、貿易商人たちにするべきである」フッガー家の没落を見て、当時のヨーロッパの金融家が学んだことはこれでした。

近世、王家に融資して儲けるというビジネススキームそのものが時代遅れになっていたのです。

自分で自分の首を絞めるスペイン

当時のフッガー家は、神聖ローマ帝国皇帝及びスペイン王家＝ハプスブルク家だけでなく、フランス王家にも銀を融資していました。前述したように、この両家はイタリア戦争中に破産しています。要は債務不履行をしているのですから、フッガー家にとってはダブルパンチです。フッガー家が没落するのは当然でした。

その一方、ヨーロッパの商人たち、特にネーデルラント（オランダ）の商人たちに融資するやり方は大成功をおさめます。

スヘルデ川の河口の街アントウェルペン

16世紀、ネーデルラントの商業都市アントウェルペンは西ヨーロッパの首都と呼ばれるほど商業が発達していました。

ヨーロッパの物流の動脈であるライン川と運河でつながるスヘルデ川の河口の街アントウェルペンは、ドーバー海峡を挟んだ対岸に羊毛の一大産地であるイギリスを控え、南には毛織物工業が盛んなフランドル地方がありました。当時のヨーロッパ人の衣服は下着も含めてほとんどが羊毛を原料とする毛織物です。よって、毛織物の需要は常に高かったのです。

アントウェルペンの商人たちは、イギリスから送られてくる無色で染色しやすい羊毛を買い取り、フランドル地方に送ります。そこで完成品となった毛織物は再びアントウェルペンに送られ、ライン川を遡(さかのぼ)ってドイツやスイス、イタリア、さらにはドナウ川を下って東欧諸国、黒海に入ってオスマン帝国にまで流通していったのです。

毛織物の一大産業を持ち、ライン川とドナウ川という内陸への流通経路と、海路によってポルトガル、スペイン、地中海にまで行ける流通網を持っていたことが隆盛を迎える要因でした。

さらに、アントウェルペンを栄えさせたのは、スペイン王室の過度なカトリック政策がありました。

前章でも書きましたが、1492年、レコンキスタを完遂させたスペインはイベリア半島をカトリックの聖地とすべく、ユダヤ教を禁止します。それはイコール、ユダヤ人を国内から追い出すことを意味します。

現在でもそうですが、金融家の多くはユダヤ人であり、この時期のスペインでもそれは変わりありません。事実、スペイン王家の金融担当、資金提供者、徴税担当者のほとんどがユダヤ人でした。この章で何度も名前が出ているフッガー家もそうですし、フッガー家と並ぶ金融家であり、スペイン王家に融資もしていたヴェルザー家もユダヤ人でした。スペイン王家はそういったユダヤ人を国内から追い出してしまったのです。もちろん、すべてのユダヤ人金融家を追い出してしまったわけではありません。有能なユダヤ人金融家はスペイン王家でも優遇していました。フッガー家などは王宮に専用の個室まで用意されていたほどです。

しかし、イベリア半島全体の雰囲気は完全に反ユダヤ人であり、改宗して新キリスト教徒となっても、ユダヤ人に対する疑いの目はやむことはありませんでした。スペインやポルトガルの各地には異端審問所が数多くつくられ、異端裁判で処刑されるユダヤ人は年間1000人を超えていたことがわかっています。

ですから、多くのユダヤ人金融家は自らスペインを去っていきました。その行き先の1つがアントウェルペンだったのです。

アントウェルペンに資金が集まったのはスペイン王室によるユダヤ人迫害が理由であり、スペイン王家はまさに自分で自分の首を絞めていたのです。

ネーデルラントの乞食団

ところが、スペイン王室は自分で自分の首を絞めたとは思っていませんでした。なぜなら、アントウェルペンもまたスペイン領だったからです。

そもそもアントウェルペンはハプスブルク家の領地であり、この地が潤えば、重税をかけて搾り取ればいいだけです。

事実、スペイン王室はネーデルラントに重い税をかけて住民たちを締め付けます。さらに、この地でもカトリック政策を進め、スペイン本国同様に多くの異端審問所をつくってユダヤ人やプロテスタントを火炙りにかけていきます。

これに怒ったのがスペインから逃げてきたユダヤ人やプロテスタントたちです。生まれ故郷のスペインの地を捨てて、北ヨーロッパのネーデルラントまで逃げてきたのに、そこでも迫害するスペイン王室についに反旗を翻し、1568年、独立に向けた戦いを開始します。

これがオランダ独立戦争（八十年戦争）と呼ばれるもので、反スペイン派の人々は「乞食団（ゴイセン）」と呼ばれました。ちなみに、名前の由来ははっきりしていません。スペイン側がそう呼んで蔑んだのを、そのまま、「そうだ、俺たちは乞食団だ」と言ってそのまま自称したなどの説があります。

ネーデルラント側はオラニエ公ウィレム1世をリーダーに迎えて、1579年には、プロテスタントが多く住む北部７州がユトレヒト同盟を結成します。しかし、戦況は一進一退で、１５８４年にはウィレム１世が暗殺され、翌年にはスペイン軍の猛攻を受けてアントウェルペンが陥落してしまいます。

これでネーデルラントの独立は潰えたかに見えましたが、アントウェルペンの人々は拠点をアムステルダムに移し、戦争と商売を続行させるのです。アントウェルペンの商人たちの強さはここにありました。戦争を行っていても決して商売を怠るようなことはしなかったのです。そもそも当時の戦争は常備軍が戦うわけではなく、傭兵の戦いでした。彼らを雇うためには金が必要でしたから、戦争を続けるためにも貿易を続けることは重要だったのです。

一方、スペイン王室は南米大陸で豊富に産出される銀にあぐらをかいて、湯水のように戦費を浪費していました。それだけではありません。国内に産業らしい産業を持たないスペインでは、衣料や食糧など生活必需品のほぼすべてを輸入に頼っていました。

では、その輸入品はどこから手に入れたのか？

答えは当時の西ヨーロッパ最大の商業都市であるアムステルダムの商人たちからだったのです。スペインは植民地南米からはるばる運んできた銀の多くを敵であるアムステルダムの商人に渡していたのです。まるで自腹を切って敵に銀を運んであげているようなものでした。

スペイン銀の意義

豊富な銀を使って国内産業を育てることをしないスペインでは、銀はただ単に必要なものを買うための交換手段でしかありませんでした。日々の生活必需品を買って戦争に明け暮れる。こんなことをしていれば、国が傾くのも当然です。

特に戦争は水物です。勝てばいいですが、負けることだってあります。スペインは1571年、レパントの海戦で地中海の覇者であったオスマン帝国海軍を撃破しますが、1588年、オランダに味方していたイングランドを倒すために行ったアルマダの海戦では大敗し、130隻の船の大半を失います。スペインは艦隊を立て直すため、再び船の建造に取り掛かりますが、そのための木材はどこから調達したのでしょうか?

当時、良質の木材は北欧にありました。そして、この地域の交易を担っていたのはやはりアムステルダムでした。スペインは艦隊の立て直しのときにも、ネーデルラントに銀を渡して木材を手に入れるしかなかったのです。

結局、スペインの海洋進出とは何だったのでしょうか？

無駄だったのでしょうか？

もちろん、そんなことはありません。貴重な通貨材をヨーロッパに供給したことにこそ、大きな意義がありました。

フッガー家らが所有していた南ドイツの銀山からの産出銀ではヨーロッパ全体に必要な通貨量には遠く及びません。中世のヨーロッパでは圧倒的に通貨が不足していました。

その証拠に、スペイン銀が流入してくるまでのヨーロッパの経済成長はずっと横ばいでした。人口が増減しようが経済成長はゼロのまま。それ以前に経済が成長するということを一度も経験していなかったのです。

ところが、スペイン銀が市場に大量に流入してくると、物価は3倍、4倍と跳ね上がります。ヨーロッパは初めてインフレを経験し、社会構造にも変化が表れます。

例えば、農家は収穫物を売ることで、これまで以上の富を得ることになります。商人も同様です。西ヨーロッパでは人口増加とインフレで穀物の値段が急騰、そのため、東ヨーロッパの安い穀物を仕入れて、西ヨーロッパで売ることで大きな利ザヤを得ることができました。それが実現できたのも大量の通貨があってこそです。

また、ここで注目すべきことは、当時のインフレ率です。物価が3倍、4倍に跳ね上がったと聞くと、ハイパーインフレになってしまったのかと思いがちですが、実際はインフレ率1％からせいぜい2％だったのです。いまでいえば、日本銀行のインフレ目標レベルであり、このことからも、当時の経済が通貨不足で成長できなかったことを裏付けるものと言えるでしょう。

常に奴隷が絡むヨーロッパ経済

スペインは現代の中央銀行が行っている規制緩和のように市場に通貨をジャブジャブ流した状態をつくり出したのです。そのことによって商人たちが隆盛を誇る一方で、地代で暮らしていた小地主たちは没落していきます。物の値段は上がる反面、地代は一定のままだったためです。実質的に収入減となってしまった小地主たちは土地を手放し、この土地を商人たちが買い漁っていくという、現代でもよく見かける状況が出現します。

さらに1630年代に入るとチューリップ・バブルがネーデルラントで起こり、37年にはバブルの崩壊まで経験します。これが世界最初のバブル経済の出現と崩壊です。やはり、現代に通じる現象と言っていいでしょう。

当時のネーデルラントは、第1章でも紹介した通り、オランダ東インド会社がインド洋、東南アジア方面で猛威を振（ふ）るっており、実に世界貿易の50％を握っていました。彼らに出資すれば４００％以上の利益を見込むことができました。

しかし、私はこの景気を真に支えていたものがなんだったのか？　を問い直したいのです。

スペイン銀はどこで採れたのでしょうか？

そして、誰が掘り出したのでしょうか？

その結果、現地では何が起きたのでしょうか？

スペイン銀はアメリカ大陸で見つかっており、それを掘り出したのは現地のインディオと呼ばれた人々でした。ヨーロッパ人たちは彼らを奴隷化してこき使い、最終的には総人口の90％を殺しました。死んでしまった原因はヨーロッパ人たちが現地に持ち込んだ伝染病だったようですが、現地の人々を死ぬまで働かせていたことに違いはありません。

インディオたちが死んでしまうと、今度はアフリカの黒人を奴隷として連れてきて銀を掘らせます。サトウキビのプランテーションをつくった際には、そこでも奴隷として働かせます。

黒人を奴隷化して作ったサトウキビはヨーロッパに送られて例えば、イギリス人のアフタヌーンティーの甘味料として使われます。いわゆる大西洋の三角貿易です。

ヨーロッパの経済は常に奴隷が絡んでいます。常に多国籍企業が絡んでいます。各国の東インド会社、あるいはオランダ西インド会社は現代の多国籍企業の雛形(ひながた)です。

彼らが来る前のインド洋は互いの文化を尊重し、平和に交易をしていました。しかし、そこに大砲を持って現れたヨーロッパ人は最初から商売する気などなく、ただただ略奪を繰り返し、人を殺すか、搾取するかしか、してきませんでした。

アメリカ大陸でも現地の人々を殺し、資源を搾取し、黒人奴隷を売買し、死ぬまでこき使って商品作物を手にしています。

誰がどう見てもこのやり方は間違っているのです。

私は本書で、ここをもう一度、よく観察し、現代とよく比較しながら、これから何を成すべきかを改めて考え、実行していきたいと思っているのです。

銀を欲した明の事情

銀の流れを追っていく本章です。これまではヨーロッパの銀を見てきましたが、ここからは東洋の銀を見ていきましょう。

東洋の銀は2つの流入口がありました。

1つは日本です。

織田信長の家臣で『信長公記（しんちょうこうき）』の作者である太田牛一（おおたぎゅういち）いわく「太閤（たいこう）秀吉公御出世以降、日本国々に、金銀山野に涌出で（わきいで）」とあるほど、この時期、日本では金銀銅山の開発が進みました。結果、石見（いわみ）銀山や生野（いくの）銀山、佐渡（さど）の金銀山など16世紀、17世紀は南米にも負けないほどの銀が日本でも産出されるようになります。その年間産出量は世界第2位の約190トン。この銀が東南アジア、東アジアの銀需要を支えていくのです。

さらに、もう1つ、アジアには銀の流入口がありました。それがスペインの植民地フィリピンのマニラです。マニラの港には年に1回から2回、大量の銀を積んだスペイン船が太平洋を横断してやってきました。船に積まれた銀は年間約90トン。ですから、この時期、ヨーロッパ同様アジアにも、約300トンもの銀が入ってきたのです。

では、この銀を求めたのはどこでしょうか？

実はこの時期、明（ミン）が銀を大量に必要としていたのです。明ではこの頃、土地税と人頭税を銀で支払う一条鞭法（いちじょうべんぽう）が採用されていました。ただし、中国大陸ではほとんど銀は採れないのです。そのため、慢性的に銀不足が続いていたのですが、日本から銀が大量に流入したため、銀を交換手段に使った交易が盛んになり、一条鞭法も制度化されたのです。

それにしても、銀が慢性的に不足している明でなぜ、銀が交換手段となっていったのでしょうか？

それには、モンゴルが関係しています。15世紀から16世紀、モンゴルでは明との交易を望んでいました。しかし、明はもともと他国との交易を認めておらず、どの国とも年に1回程度の朝貢（ちょうこう）しか許そうとしません。業を煮やしたモンゴルは万里の長城を越えて侵略を繰り返し、交易を迫ってきたのです。

明はモンゴルの襲撃を止めるため、北辺に軍隊を張り付けることになるのですが、問題は兵士たちの兵站（へいたん）（武器弾薬、食糧）です。最初のうちは現物支給でしたが、輸送費がかかりすぎるということで銀で支給されるようになり、辺境の明軍は現地で必要な物資を買い求めるようになっていきます。これによって銀の需要は徐々に高まっていくのですが、さらに１５５０年8月、モンゴルのアルタン・ハンが大軍をもって明に侵入し、北京を包囲してしまうとさらに状況は悪化します（庚戌の変）。

事実上、モンゴル軍に敗れた明は、アルタン・ハンの要求通り、国境沿いの町で市を開始します。と同時にモンゴルの朝貢も許可されるようになります。朝貢と言っても言葉だけのもので、軍事的に敗北した明からモンゴル側への貢物であり、モンゴルは大量の銀の供出を要求したのです。

銀を産出しない中国大陸において銀の必要性が生じたのはモンゴルの圧迫があったためです。

１５６６年、明の第12代皇帝の世宗が死去します。頑なにモンゴルとの交易に反対していた世宗と違って第13代皇帝の穆宗はアルタン・ハンと和議を結び、モンゴルとの交易を正式に認めます。

これが１５７１年の「隆慶和議」です。和議によって市はこれまで以上に盛んになります。主にモンゴル側が良馬を、明側はこれを銀で買い上げる形になりますが、当時の明の国家予算の10%にものぼる銀がモンゴルに流出したと言われています。

暗躍する明の密貿易商人たち

明が銀を必要とする事情はこのようなものでした。

しかし、頑な明は日本と積極的に貿易を行うということはしません。

相変わらず、海禁法によって民間の貿易は密貿易扱いでした。

しかし、南部の州では海禁など守らず、日本や東南アジアはもとより、ポルトガルやスペインとも積極的に交易を行っていました。

日本の長崎とマカオの交易ルートをつないでいたのはポルトガル商人でした。日本と直接、貿易ができない明の商人たちはポルトガル商人に生糸を売り、ポルトガル商人はこれを日本に運んで銀と交換することで濡れ手に粟といえるほどの利ザヤを稼ぎました。16世紀、スペインやオランダの国力に押されていたポルトガルでは長崎―マカオ・ルートを往復するだけで巨大な収益をあげていました。日本とマカオの往復の交易だけでポルトガルは自国の貿易全体の7割を稼ぎ出していたのです。

なぜこれほど儲かったのかというと銀が枯渇していた明では銀の価値が日本の2倍だっ

たからです。

根っからの商売人である南部の州の人たちがこの濡れ手に粟の商売を見逃すはずがありません。海禁法を犯すのも顧みず、自ら日本までやってきて商売する人間が続出し始めます。彼らがいわゆる倭寇(わこう)です。

倭寇と聞くと日本人による海賊だと思ってしまう人も多いでしょうが、この時期の倭寇は明人による密貿易の商人たちが主流でした。

海賊王の王直などはのちの戦国大名・松浦隆信(まつらたかのぶ)の信頼を得て平戸(ひらど)を本拠地にして、東アジア一帯で商売をしていました。王直の死後は李旦(りたん)、その後は鄭芝龍(ていしりゅう)（台湾初の独立政権をつくる鄭成功(ていせいこう)の父）が倭寇の頭目として活躍します。

一方、これに業を煮やした明の役人たちは毒をもって毒を制することを思いつきます。

タマン島を不法占拠し蛮行を繰り返していたポルトガル人たちに海賊退治を頼んだのです。

この提案を引き受けたポルトガル人たちは海賊退治に乗り出すことで明に恩を売ります。ところが、したたかな彼らは、裏では王直らと手を組み、日本との交易を拡大します。

スペインはそんなアジアの海に大量の銀を持ってやってきたのです。

「グローバリズムは1571年に始まった」

アメリカの経済学者デニス・フリンは「グローバリズムは1571年に始まった」と主張しています。

なにゆえ、1571年なのかというと、スペインがフィリピンにマニラを開港した年だからです。スペインがフィリピンにマニラを建設したことで、アフリカ大陸の喜望峰を回る東廻り航路と、太平洋を横断する西廻り航路がつながり、経済がグローバルに展開されるようになったことを指して言っています。これは同時に銀がグローバルに還流し始めたことをも意味しました。東洋と西洋が銀を本位通貨として経済を動かしていったのです。

マニラに大量に銀が入ったことを倭寇たちはすぐに嗅ぎつけます。ヨーロッパ人が生糸や陶器などを大量に買い入れることを、ポルトガル商人との商いで知っている彼らは、これらの商品を満載してマニラ港にやってきます。

南米から運び込まれた銀はあっという間に明の商品と交換されて、明の国内で流通されていくのです。

東洋でもスペインは銀を使って物を買うだけでした。銀は南米からマニラ、マニラから明へと一方通行で流れていくだけです。

では、明は銀をどう扱ったのでしょうか？

ヨーロッパでは銀が大量に流入することによって経済成長が起きました。しかし、明では起きませんでした。明の民は銀を使って税金を収めます。税金として収められた銀は国庫に入ってそれで終わりです。朝貢でやってくる海外の賓客（ひんきゃく）やモンゴルに渡されるだけで市場を潤すことはなかったのです。

銀は常に一方通行で、明へ、そしてのちの王朝の清へと流れていくだけだったのです。

その一方で、ヨーロッパは明及び清の産物に夢中になります。最初は絹に、続いてお茶に。15世紀、16世紀のヨーロッパではシノワズリー（支那（しな）ブーム）が起きたほどです。

貴族の妻たちは朝起きると、陶器でできたティーポットに紅茶を入れ、これを飲んで目を覚まし、午後にもお茶を飲み、寝る前にもお茶を飲むのが習慣となります。

興味深いのが１７０１年にアムステルダムで上演された『ティーにいかれたご婦人たち』という喜劇で、オランダの貴婦人たちのお茶会の様子を描いているのですが、貴婦人たちはお茶をティーカップから受け皿に移し、音を立ててすすって飲んでいたというのです（『茶の世界史』角山栄著、中公新書）。

このティーブームのきっかけをつくったのが1662年、イギリス王チャールズ2世と結婚したポルトガル王女のキャサリンです。

すでに紅茶を飲む習慣を持っていたキャサリンはイギリス王室の人々に紅茶を教えて、これが貴婦人たちに大流行するのです。

それにしてもなぜ、イギリス人にお茶が好まれたのか？

それは当時のヨーロッパの飲み物が北ヨーロッパではビール、南ではワインぐらいしかなかったからです。消毒殺菌の効果があり、悪酔いすることもない、お茶はヨーロッパ人が初めて口にするノンアルコールの飲み物だったのです。

ちなみに、オランダ東インド会社が最初に本国に運んだ際、お茶は中国茶ではなく、日本の緑茶でした。緑茶のほうが高級品として扱われ、珍重されていたのです。しかし、日本はその後、鎖国という形で他国との交易を極端に減らしてしまうので、中国の紅茶がヨーロッパにとってのお茶となってしまったのは少し残念です。

徳川方についたオランダが日本の銀を独占

さきほどヨーロッパの銀について、スペインの銀はネーデルラントに流れ込んでいったと書きましたが、実は日本と最も銀の取引を行ったのもネーデルラントでした。

そのきっかけは１６００年の４月29日です。この日、豊後臼杵（ぶんごうすき）の黒島（くろしま）にオランダ船リーフデ号が漂着します。乗っていたのはイギリス人航海士のウィリアム・アダムス、オランダ人航海士のヤン・ヨーステンほか約20人でした。

２人はオランダ人とイギリス人ですからプロテスタントです。カトリックのイエズス会の宣教師たちは、彼らをすぐに処刑するように豊臣秀頼（とよとみひでより）方に進言します。

一方、彼らを引見したのは徳川家康でした。プロテスタント側であるアダムス、ヨーステンの２人からヨーロッパの様子、特にスペインやポルトガルの状況、プロテスタントとカトリックの争いなどを聞き、興味を覚えます。

そして、２人を外交顧問にした家康は、大坂冬の陣を前に強力な大砲をヨーロッパから持ってこられないかと相談します。

前述したようにこの頃のヨーロッパは日本に負けず劣らず、戦争を繰り返していました。となれば、武器の調達も商人にとって重要な商売で、これを一手に担っていたのがやはりアムステルダムでした。この時期のアムステルダムは商業都市、金融都市というだけでなく、武器の調達と開発でも他に抜きん出ていました。

アダムスとヨーステンは家康の要望を密(ひそ)かにオランダ人商人に伝え、最新式の大砲をヨーロッパから取り寄せたのです。

一方、豊臣方にはカトリックのスペインとポルトガルが味方について武器を調達していました。日本でも、カトリックVSプロテスタントの代理戦争が起こっていたのです。

そして1614年、大坂冬の陣では、徳川方の大砲から発射された弾が大坂城本丸の屋根をぶち抜き、淀君(よどぎみ)は狂乱、休戦のきっかけになっています。

徳川の勝利にはプロテスタント勢力の貢献がありました。そして、徳川方についたオランダはヨーロッパに続いて東洋でもスペインに勝利し、日本の銀を独占することになるのです。

1668年、徳川幕府が銀の輸出を禁止するまでの約50年、毎年100トン以上の銀がオランダに流れていたといいます。

スペインが毎年90トンを明や清に渡していた反面、オランダは徳川幕府の信用を得て、毎年１００トン以上の銀を手に入れていたのです。

銀の流れを見ていけば、戦争でオランダが、つまりネーデルラントが勝つのも納得できるでしょう。

イギリスによるインド支配

18世紀に入ってくると東洋貿易の勝者がはっきりしてきます。

東洋貿易を制したのはオランダ……ではなく、一度はオランダ東インド会社に香辛料貿易で敗北したイギリスでした。

オランダ東インド会社とイギリス東インド会社はほぼ同時に東南アジア貿易を開始していましたが、１６２３年のアンボイナ事件で武力衝突し、オランダ東インド会社の社員がイギリス東インド会社の社員数十人を惨殺、東南アジアの胡椒(こしょう)貿易の権益はオランダ東インド会社が握ることになりました。

敗北したイギリス東インド会社はインドまで拠点を退いてインド綿の貿易などで細々と

つないでいましたが、胡椒貿易が下火になる一方でインド綿布の人気がヨーロッパで高まり、力関係は逆転、18世紀に入る頃には東洋貿易はイギリス東インド会社の一強支配となっていたのです。

イギリス東インド会社はカルカッタ、ボンベイ、マドラスを拠点にインドの植民地化を進めます。１７５７年プラッシーの戦いでフランス東インド会社＆ベンガル太守連合軍を破ったイギリス東インド会社は、ベンガル近郊の徴税権を手に入れます。イギリス東インド会社は領主のようにベンガル地方から税金を取るようになったのですが、領主と違うのは彼らがイギリスに本社を置く会社だということです。

税金を手にするのが領主であれば、その金は地元で使われます。現代であれば公共工事や福祉に使われます。最悪でも地元の商品を買うわけですから、その地に還流します。

ところが、イギリス東インド会社が税金を手にするとイギリス本国に送金されるだけでまったく地元に還元されません。すると、ベンガルの人々はお金を吸われるだけで地元のインフラが整備されることもなく、公共事業として仕事が回ってくることもありません。地元の施設は老朽化し、疲弊する一方となります。人々の暮らしは貧しくなるだけです。

しかも、イギリス東インド会社はこれをインド各地で行いました。ボンベイでもマドラスでも税金を取るようになったため、インド全体が貧しく、飢えるようになるのです。

このタイミングでイギリスでは産業革命が起きます。機械織りによって低価格で質の均一化された綿製品を作ることに成功します。

綿布の原料はどこから持ってくるのでしょうか？

アメリカの植民地に綿花のプランテーションを作って奴隷に収穫させていました。ですからインドで作るよりも安く、品質も一定している「イギリス製の綿布」が完成。これをインドに輸出すると、インドの人々はイギリス製の安くて質の良い綿織物に殺到します。

すると、地元の綿織物業者の綿製品は売れなくなり、次々と廃業していきます。インド全体はさらに貧しくなってしまうのです。

「イギリスが来てからインドはすっかり貧しくなってしまった」

この状況に怒りを募らせるインドの人々は１８５７年、インド大反乱を起こすのですが、これもイギリスに鎮圧されてしまいます。

こうしてイギリスはインドの植民地化に成功し、第二次大戦が終わるまで搾取を続けるのです。

ところで、インドの搾取の尖兵であったイギリス東インド会社ですが、インド大反乱の後、1858年に解散させられてしまいます。

実はイギリス本国では「イギリス東インド会社だけに儲けさせていいのか？」という声が上がっていたのです。イギリス東インド会社は設立当初にアフリカ以東の貿易独占権をエリザベス1世から付与されていました。そのため、インドの綿布貿易と清との茶貿易及びアヘン貿易はずっとイギリス東インド会社が独占していたのです。

しかし、イギリス本国では産業革命によって巨大な利益を上げ始めた産業資本家たちが自由貿易を求めて議会でロビー活動を行っていたのです。特に彼らが狙っていたのは清との貿易でした。

「巨大な利益が得られる清との貿易をイギリス東インド会社が独占しているのはおかしい」産業資本家たちの声に抗することができず、イギリス東インド会社はついに解散し、産業資本家たちが東洋との貿易に乗り出してきます。

アヘンを売る自由

前述したように東洋における銀の流れは清国への一方通行でした。

ヨーロッパ人たちが何を持っていこうとも清の人々は興味を示しません。彼らの文化のほうが優れていたからです。清が興味を示すのは常に銀のみでした。

逆に、ヨーロッパ人のほうは清の製品を喉から手が出るほど欲しがっていました。特にお茶はイギリス人の生活になくてはならないものとなっていました。

産業革命によってイギリスでは工場で働く都市生活者が増えていきます。彼らの飲み物は紅茶以外になかったのです。生水は飲めませんし、それ以外の飲み物であればビールなどのアルコール類しかありません。仕事中にビールを飲むわけにはいきませんから必然的に紅茶が選択されます。しかも、紅茶にはカフェインが入っているため、朝早くから夜遅くまで働けるようになります。砂糖を入れるのでカロリーを摂ることもできます。当時のイギリスは南米のプランテーションによって砂糖も安価に手に入るようになっていました。

ですから、イギリスでは毎年、大量の中国茶を購うために清に向かって船を出します。お茶の代価は銀ですからイギリスでは銀が次第に減っていってしまいます。貿易赤字の垂れ流しです。

この状況に危機感を募らせていたイギリスでは、なんとしてでも中国から銀を取り戻す

イギリス、インド、清をめぐる三角貿易の構造

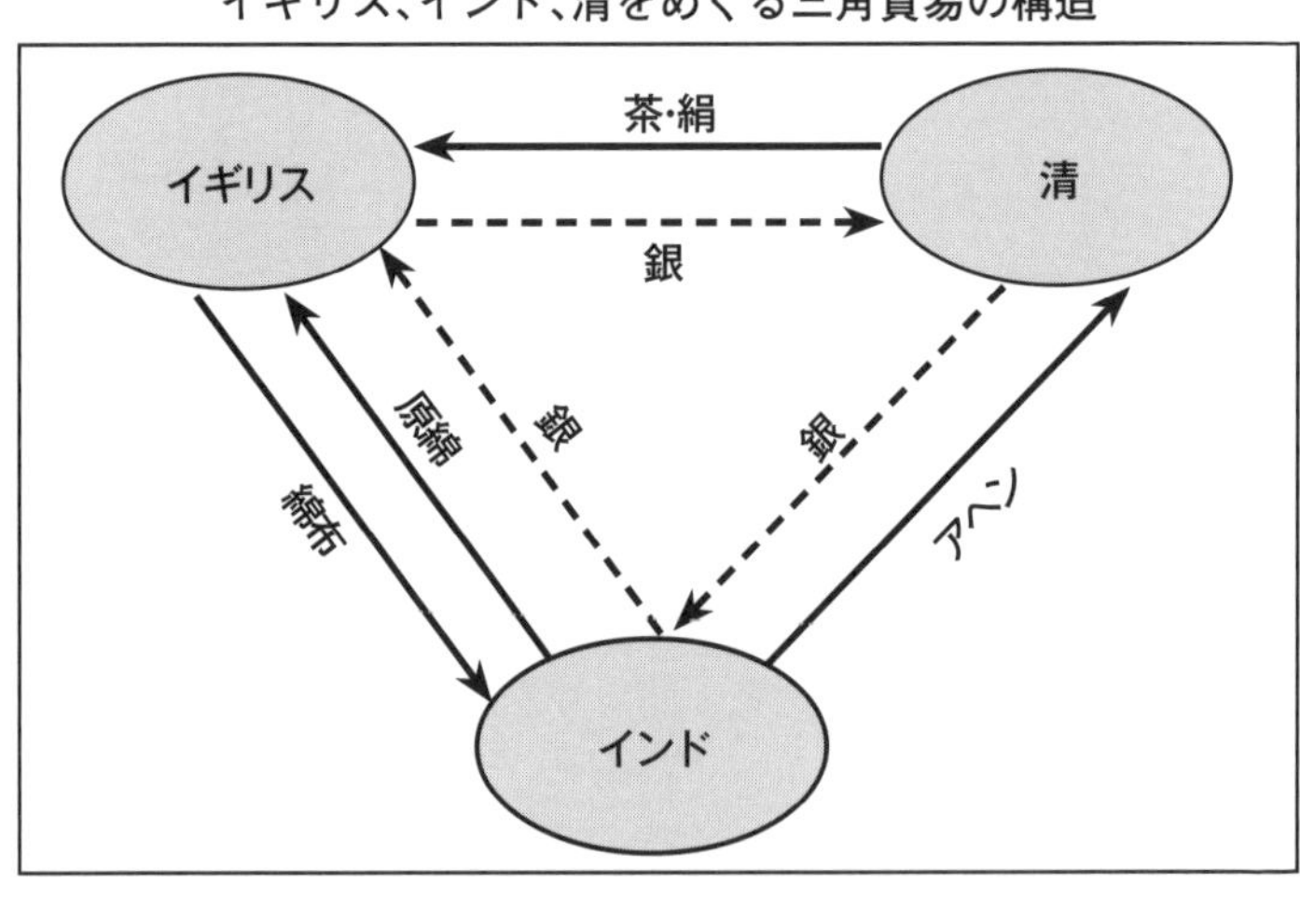

必要がありました。そのため最初は正攻法として、インドやアフリカで大人気のイギリス商品・綿布を持っていきました。しかし、それでも中国人は買おうとはしません。

当たり前なのです。清にはそもそも貿易という概念がないのです。「臣下が皇帝に対して貢物を持ってくる」「皇帝はその貢物を受け取り、臣下にご褒美を与える」この朝貢という形しか認めていません。その代わり、臣下側は貢物以上のご褒美が貰えるというシステムです。多くの国はこれで納得していました。

ところが、イギリスが望んでいたのは貿易赤字の解消でした。なんでもいいからイギリスの商品を買ってほしい。港を開いてほしい。朝貢などではなく、好きなときに好きなだけ商品を売ること

ができる自由貿易がしたいのだ、という主張です。しかし、「ならば来なくていい」というのが清側の言い分でした。

もちろん、そんなことで諦めるようなイギリスではありません。自由貿易ができないのであれば密貿易をすればいい。中国人が絶対に欲しいと思えるものを売ればいいと考えるようになります。

それがアヘンです。

インド北部で作られるアヘンを清国に持っていくと、清の人々は争ってアヘンを購入します。清の人々に喫煙の習慣がもともとあったこと、清の役人が賄賂を貰ってアヘンを自国の民に推奨したことも普及のあと押しをしました。

イギリスはせっせとアヘンを売って銀の回収に励みます。

アヘンを吸っていれば、アヘン中毒となり、清国国民たちは廃人のようになっていきます。当然、清国はイギリスが持ってきたアヘンを没収及び廃棄します。

するとイギリスの議員とアヘン商人たちは、アヘンの没収、廃棄はイギリス人の財産権に対する侵害であると主張し始めるのです。清国に対して賠償請求ができるし、賠償しないのであれば戦争しかない、清国に対して軍艦を送るべきだと言い出したのです。

ジャーディン・ハウス（香港）

さすがに、この主張はイギリス本国でもそう簡単には受け入れられませんでした。イギリス議会の中にも良識を持っている人たちはいます。「アヘンを密輸しておいて没収されたら戦争だ」というのは「あまりにも身勝手であり、非人道的である」として多くの反対者が出ました。

議論は平行線を辿り、最終的に決を取ることになると、賛成が9票上回り、アヘン戦争開戦となるのです。

それにしても、この開戦に賛成した人とはどういう人たちでしょうか？

当時、アヘンの密輸で大儲けしたのがジャーディン・マセソン商会です。香港に現在もある香港上海銀行（ＨＳＢＣ）は、アヘン密輸で儲けた金をイギリス本国に送金するために彼らがつくった銀行です。

また、ジャーディン・マセソン商会は明治維新にも深くかかわっています。伊藤博文ら長州ファイブのイギリス留学を後援したのも彼らです。長州ファイブが乗ったイギリス行きの船、イギリスでの宿泊先を手配したのが彼らジャーディン・マセソン商会でした。グラバー邸で有名なトーマス・グラバーもジャーディン・マセソン商会の派遣社員でした。薩長（さっちょう）がグラバーから買った大量の武器弾薬や軍艦も同商会が仲介していました。一時期、横浜に支店を設けていたときもあり、横浜支店長の吉田健三（よしだけんぞう）はのちの内閣総理大臣、吉田茂（よしだしげる）の養父だったことでも有名です。

こういった話は拙著『日本人の99％が知らない戦後洗脳史』（ヒカルランド）『明治維新という名の洗脳』（ビジネス社）ほかの書籍でも書いていますので、詳しく知りたい方はそちらを読んでほしいのですが、いま私が言いたいのは現代の話です。

アヘン戦争でボロ儲けしたジャーディン・マセソン商会は21世紀のいまでも香港に自社ビルを持ち、不動産、金融、自動車、ホテル経営（マンダリンオリエンタルホテル）など複合企業として存在しているのです。

私は、本書で何度も株式会社は最初からグローバル企業であり、現代の多国籍企業と何ら変わらないと書いてきました。それは、こういった状況を見ればよくわかるでしょう。

とはいえ、「だからすべてのグローバル企業は悪なのだ」というつもりはありません。

近世というのはまだ法律が整備されていない時代であり、企業家が政治家と結託して利益を貪ることはよくありました。自分たちに有利なように法律を改変して人々の財産を毀損したり、奪ったりすることもありました。

しかし、現代ではもうそれは間違っているというコンセンサスが行き渡っています。財産を奪われない権利を人は生まれながらに持っていることを現代人の私たちは知っています。ほとんどの国でそういう教育もなされています。

であるのに、現代のグローバル企業は、まるで大航海時代と大して変わらない横暴さを持っているところに問題点があるのです。

例えば、「はじめに」で紹介したコロナワクチンを各国に売りつける製薬会社の横暴さ、です。あれは現代のグローバル企業の強欲さ、身勝手さをよく表しています。しかも、そんな彼らを止めることはとても難しいのです。

なぜなら、政治力で彼らを止めるのは今も昔も難しいからです。

事実、イギリス議会はアヘン商人たちを止めることができませんでした。麻薬を密輸しておいて、それを没収されたら、財産を侵害されたと訴えるグローバル企業を議会は止めることができなかったのです。挙げ句、戦争を仕掛けて、香港島を奪い、無理矢理開港させてしまったのです。

イギリスにも良識はあります。いえ、世界中どこの国でもそれはあります。しかし、グローバル企業の強欲さに勝てる国はなかなかないのです。

アヘン戦争を可決してしまったイギリス議会がそれを証明しています。

私たちはこのことをよく記憶しておかなければいけません。彼らは強いのです。そして私たちは煩悩に弱いのです。

ただし、悲観する必要はありません。彼らが強いと言っても圧倒的ではないからです。わずか9票差なのです。5人の人間の気持ちを揺り動かすだけで結果は変わっていたのです。

次章ではそのことについて考察していきましょう。

ちなみに、アヘン戦争開戦に賛成したのはジャーディン・マセソン商会だけではありません。これについて『サピエンス全史』（ユヴァル・ノア・ハラリ著、河出書房新社）の中に面白い記述があったので紹介しましょう。

「アヘン・カルテルは、国会議員と政府閣僚に強力なつてがあった――実際、多数の国会議員と閣僚が製薬会社の株を所有していた――ため、政府に行動を起こすように圧力をかけた。」

なんと開戦に賛成したアヘン・カルテルの中に製薬会社があったのです。

コロナワクチン禍の真っ只中（まっただなか）にある現代において製薬会社の存在は改めて考える必要があるとは思っていましたが、まさか、このタイミングで出てくるとは思ってもいませんでした。

しかし、考えてみれば、アヘンの原料であるケシはもともと薬でした。その前にイギリス人が夢中になって、いまでも飲んでいるお茶（ティー）にしても最初は薬として売られていましたし、タバコもコーヒーもみんなそうです。

もっと言えば、大航海時代のきっかけとなった胡椒もヨーロッパでは薬として珍重されていました。

薬とグローバル企業は最初から密接な関係にあったのです。

第5章　神と超国家

残虐行為の正当性

最終章となる第5章では、ヨーロッパ人の精神性について探っていきましょう。

ここまでの章ではヨーロッパ人が大航海時代に何をしてきたのか？　を見てきました。

彼らが来る前のインド洋は人々が互いに商品を持ち寄って物々交換をすることで豊かな暮らしを実現する場でした。そのために交易し、そのための手段として船があり、その場を提供するのが海でした。

ところがバスコ・ダ・ガマたちはそこに鉄砲と大砲と、その結果としての殺戮。その結果としての強奪を持ち込んだのです。

胡椒を得るために人を殺し、銀を得るためにアヘンを売る。

砂糖を安く手に入れるために奴隷を贖い、死ぬまでこき使う。

ヨーロッパが中世から近世に向かうときに行った貿易の中身とはこういったものでした。

彼らのやり方は東洋の人間からすればあまりにも異質で、理解に苦しむものでした。

しかし、ヨーロッパ人にとってはどうでしょうか？

彼らはその残虐行為に正当性を持っていたのです。正しい行いをしている信念がそこにありました。この部分を理解しないと私たちはいつまで経っても彼らの後手に回り続けることになってしまうのです。

では、彼らの正当性とは何か？

象徴的なのは、アステカに攻撃を仕掛ける前のコルテスの行動です。彼は、アステカの人々を惨殺する前に「勧降状」を読み上げています。自分たちは神の尖兵であり、神の意志を忠実に実行するために攻撃をするのだ、と言って、普通に考えれば悪辣なだけの虐殺行為を正当化し、自己肯定に成功しています。

私たちからすれば、そんなことをして何の意味があるのか？　と思えてしまうような行為です。『カトリック教会と奴隷貿易』の著者西山俊彦神父も「このやり方は征服者の良心だけを安んじさせるもの」と書いています。

しかし、ヨーロッパ人にとって、これはとても重要なことなのです。

良心を安んじさせること、神の許しを得ているのだという確信。これが、善きにつけ悪しきにつけ通常では考えられない行動を取らせる原動力となっているのです。

一言で言えば、彼らは神の存在を本気で信じています。本気で神を畏れ、最後の審判で地獄に堕ちることを徹底的に怖がっています。この部分を真に理解しないと彼らを見誤ることになってしまうのです。

神をわかったつもりになっている私たち

実は私たちは彼らの神をわかったつもりになっていることが多いのです。

そもそも私たちにとっての神とは、その時、その時で都合良く自分の味方になってくれる神といった感覚です。元旦で神社にお参りする感覚と言えばわかるでしょうか。少し乱暴な言い方かもしれませんが、その時その時の願いを、「どうか叶えてください」といって気軽に頼めるのが私たちの神でしょう。

しかし、ヨーロッパ人が考える神は絶対的なものなのです。宇宙は神によって創造され、万物も神によって創られました。よって人間の行動のすべてもあらかじめ神によって決められています。これがいわゆる「予定説」と言われるもので、プロテスタントのカルヴァン派の中心的教義です。

なぜ、アメリカで堕胎を許さない人たちがいるのか？　それはすべての結果はあらかじめ神が決めたものであり、人間が勝手に変えていいわけがないからです。たとえ、望まぬ妊娠であっても堕胎は神に背く行為なのです。

自殺も同様です。人間がその身勝手な考えで神が決めた予定を変えることはやはり神に背くことになります。

こういったカルヴァン派の流れを汲む人たちがピューリタンであり、彼らが建国の父となってつくった国がアメリカです。

もう一度言います。「予定説」というゴリゴリの教義原理派の人たちがつくった国がアメリカなのです。そういう人たちが叫ぶ「自主独立」とは私たち日本人が考える〝自主独立〟とはまったく異質のものなのです。

そして、ピューリタンの源流であるカルヴァン派は、本書で私たちが学んできた大航海時代に出てきたプロテスタントの一宗派であるとともに、オランダ東インド会社をつくる原動力となり、イギリス東インド会社をつくる源にもなり、オランダ独立戦争を戦うための精神的な支柱ともなっているのです。

オランダ人はなぜ、ローマ教皇に逆らうことができたのか?

カルヴァン派が行ったオランダ独立戦争を、私たちはスペインの圧政に苦しむオランダ人たちが自主独立のために挑んだ戦争だと捉えてしまいがちです。

しかし、この戦争は別の見方をすれば、神に反抗する戦争でもありました。スペインの後ろにはローマ教皇がついているのですから当然です。スペインの戦いはローマ教皇が認める神の戦いです。ということは、オランダ人たちは神に反抗する異端者ということになってしまいます。

この異端者という烙印(らくいん)の重さを多くの日本人は理解していません。異端者と言われ続けたまま戦うことなどヨーロッパ人にはできないのです。「王がひどいことをするから反抗するんだ」といった単純な感情論ではダメなのです。王がひどいことをしようがそれが神のご意志であれば、人はそれを受け入れなければならないのです。自分が苦しいから、自分がつらいからというのが反抗の理由にはなりません。

であるのに、オランダの人々は王に逆らい、神の代理人であるローマ教皇に逆らったのです。

一体どうしてそんなことができたのでしょうか？

答えは簡単で彼らは神に逆らってはいなかったのです。神に背いたのは当時のローマ教皇の側であり、神の摂理は自分たちにあると確信できたからこそオランダ人たちは戦うことができたのです。

彼らは「神とは何か？」「人間とは何か？」「その関係性とはどんなものか？」をしっかり考察し、矛盾のない答えを出すことに成功していたからローマ教皇に反抗することができたのです。

逆に言えば、神に対する矛盾のない答えを持っていなければ、何もできないのがヨーロッパ人である、とも言えるのです。

カルヴァン派の聖書原理主義

実は、14、15世紀は、ある意味、神不在の時代でした。前述したように、神の代理人であったローマ教会は堕落の一途を辿(たど)り、ローマ教皇は欲望に飲み込まれていました。借金のかたに枢機卿の地位を売り、教会の建て直しの資金集めのために贖宥状を売り出す。枢機卿の地位を買った金融家（フィレンツェのメディチ家など）は金の力を存分に利用して教皇にまでのぼりつめ、ローマ教会そのものを金まみれの体質に変えてしまいました。

それが中世のヨーロッパ社会だったのです。

これに異を唱えたのがマルティン・ルターでした。ルターは当時のローマ教会が拝金主義に陥ってる状況を批判します。なぜなら、聖書には「金持ちが神の国に入るよりも、らくだが針の穴を通るほうがまだやさしい」と書いてあるからです。お金持ちになってしまった教会は神の国に入ることができません。つまり、教会は神の使徒としての役割に適っていないと指摘したのです。

そして、教会にお金を払って免罪を願うのではなく、聖書を読みなさい、聖書を読んで神の教えとともに生きなさいと言って、それまでラテン語でしか書かれていなかった聖書をドイツ語に書き改めて庶民が読めるようにしたのです（この辺りの詳しい話は拙著『現代版、魔女の鉄槌』〈フォレスト出版〉などを参照してください）。これがマルティン・ルターのプロテスタンティズムです。

ところが、このルターの主張すら間違っているという宗派が現れます。それがカルヴァン派です。フランス人のジャン・カルヴァンによって提唱され、スイスのジュネーブを中心にヨーロッパ各国に広がっていった彼の教えはフランスではユグノー、オランダではゴイセン（乞食の意）、スコットランドでは長老派、イングランドではピューリタンと呼ばれるようになります。実は、私たち日本人が通常プロテスタントと呼んでいる教義はだいたいがこのカルヴァン派なのです。

しかし、カルヴァン派の教えの中心は、さきほども言ったように「予定説」です。ゴリゴリの聖書原理主義と言っていいものでした。

そんな原理主義をなぜ、ヨーロッパの人々の多くが支持したのでしょうか？

カルヴァン派を強烈に支持した商人たち

カルヴァン派は言います。ルターの主張するプロテスタントの教えもカトリックと同じじゃないかと。カトリックは罪から逃れるためには免罪符を買いなさい、できれば全財産を教会に寄付しなさいと言います。

しかし、これで救われるのはお金持ちだけで、「そんな状況は間違っている」と言ったのがルターです。聖書を読み、神に祈りを捧げる生活をすることで私たちは天国に行けるのだと説きました。

ところが、カルヴァンは、「神に祈れば天国に行ける」という教えは、「金を払えば天国に行ける」という教えと同じじゃないか、と主張するのです。神が決めたことを人間ごときの力でなんとかしようとしている部分で両者は一緒で、不遜な行為であるという意味でカトリックもルターも同じだと。

言われてみれば確かにその通りで、「お金」が「祈り」に変わっているだけで、ルターとローマ教会のやっていることは基本的には変わらないと言うことは可能です。

対して、カルヴァンの主張は、神は偉大であり、人間は小さきものであるから、人間がお金をどれだけ出そうが、どれだけ祈ろうが人の運命は最初に神が決めた以上には変わらないというものです。最後の審判の時に救われる人間はすでに神が決めていて、悪人か、善人かではない。世界が生まれた瞬間にすべて決まっている、というのです。

これが「予定説」ですが、身も蓋もない話でもあって、「じゃあ、人間はどれだけ努力しても無駄なのか」となってしまうでしょう。こんな教えがなぜ、ヨーロッパ中に広がったのか？　なぜ、庶民の支持を得たのでしょうか？

実は、カルヴァン派を強烈に支持したのは商人たちでした。

これまでカトリックでもルターのプロテスタンティズムでもお金は不浄のものという扱いでした。前述したように「金持ちが神の国に入るよりも、らくだが針の穴を通るほうがまだやさしい」といった記述が聖書の中には何度も出てきます。だからこそ、ローマ教会は全財産を寄付しなさいというのです。お金が欲しいからそう言っているわけではなく、善意で不浄なお金を預かっていたのです。ところが、月日が経つうちに教会にはお金が貯まっていきます。そうなると聖職者も人の子ですから堕落が始まってしまったのです。

では、ルターの教えはどうでしょうか?

ルターの教えは聖書主義ですからやはりお金は不浄なものという扱いです。お金を稼ぐこと、お金の欲望に振り回されることを決して良しとはしません。

しかし、カルヴァン派は違いました。神はお金に興味がない、という立場を取ったのです。それどころか、仕事は天職という考え方をし、神が定めた職業に励むことは神のご意志に添うことであり、職業に懸命に励むことは神の道である、としたのです。

職業に懸命に励めば当然、お金が増えていきます。そのお金は従来であれば不浄なものなので教会に寄付しなさいとなっていましたが、カルヴァン派は、「お金に興味がない神にお金を持っていってどうするのか？」「それはそれで不遜な行いなので、儲けたお金は取っておいて、天職＝神が定めた職業のために使いなさい」としたのです。つまり、「再投資を肯定」したのです。

この教えがあったからこそ、カルヴァン派はヨーロッパ中に広まったのです。

時は大航海時代です。商人たちは大西洋、太平洋、インド洋に出ていって、いくらでも荒稼ぎができた時代でした。たった1回の航海で王族並みの資産を手に入れることも可能でした。商人たちが目の色を変えたのもわかるでしょう。

ただし、カトリックの教えでは、その荒稼ぎはすべて教会に寄付すべきものでした。寄付しなければ地獄行きなのです。

カルヴァン派はそこに出現したのです。儲けたお金は手元に置いていていい。ただ置くだけでなく、再投資してさらに儲けていていい。逆にそれが神の意志に適うことであると言うのです。

ヨーロッパ中の商人たちが熱狂的にカルヴァン派を支持するようになったのも頷(うなず)けるでしょう。

資本主義は神の教えに適っていた

ドイツの社会学者マックス・ヴェーバーはこの辺りのことを著書『プロテスタンティズムの倫理と資本主義の精神』で上手に解き明かしています。禁欲的なカルヴァン派が資本主義誕生のきっかけになった経緯は職業を天職として肯定し、お金を再投資することで資本主義が神の教えと一体になっていったからだ、と言います。

資本主義は大航海時代に生まれるべくして生まれたのです。しかも、神の教えに適ってもいました。

もう一度言います。資本主義は神の教えに適っていたのです。

私たちはこのことを深く胸に刻み込んでおかなければいけません。

そして、その上で現代を見直す必要があるのです。

なぜ、いまの資本家たちは強欲なのか？　と。

なぜ、いまの資本家たちは世界のためには人口を減らすべきだと平気で考えられるのか？　と。

その理由は、本気で神の意志に従っているからなのではないでしょうか？

もちろん、本人たちに聞いてみなければ本当のところはわからないでしょうが、大航海時代を見ていくと、この考え方が決して突飛ではないことがわかってきます。彼らは本気なのです。神の意志のもとに本気で資本主義を邁進（まいしん）しているのです。

そこにあるのは単なる強欲ではありません。神の意志がしっかりとあり、だからこそ、「我々は他国の人口や文化、食生活にまで土足で踏み込むことができる」、と本気で思えるのです。インド洋でバスコ・ダ・ガマたちがやったようにです。

そして、それゆえに私たちはこの視点で、改めて大航海時代を見直す必要があったのです。

なぜ、オランダは最後に勝利できたのか？

では、さらに、大航海時代を見ていきましょう。

次は「人間とは何か？」という視点です。

カトリックに対してカルヴァン派が挑んだオランダ独立戦争は、互いにとって正戦です。

これを戦い続けるには自らの正しさを強化していく理が必要となり、特にカルヴァン派はその理を強く求めます。

なぜなら、カトリックのほうにはローマ教皇の権威があります。長年に渡って教会をリードし、教義に触れてきた彼らには神の理解に対する大きなアドバンテージがあります。

一方、できたばかりのカルヴァン派には権威はありませんから、より強力な理が必要になります。しかも、オランダは当時、国ではなく、ハプスブルク家の所領でした。つまり、彼らは王にも逆らっています。

既存の権威に徹底的に反旗を翻しているのです。普通であれば、途中で嫌になってしまうでしょう。なにしろ、オランダ独立戦争は80年間も続いています。精神的な支柱が何もなければ、それだけの長きに渡って戦うことなどできなかったはずです。

特に商人の集合体であるオランダ側は金儲けが本業で、領地取りが本業の王たちとはモチベーションがそもそも違います。商売を順調に続けるためには戦争が終わったほうが良かった場合も多々あったでしょう。であるのに、なぜ、オランダは戦いを続け、最後には勝利できたのでしょうか？

それは既存の権威の、そのまた上に位置する権威というものをオランダ商人たちが独自につくりあげることができたからです。

2つの権威

ヨーロッパの戦争で興味深いのは2つの権威があることです。1つは王、1つは神です。王にとって神はとても大切なものです。決してないがしろにしていいものではありません。その一方で、王にとって神は目障りでもあり、できるならば排除したいという思いも強いのです。

つまり、王にとっての神とは二律背反する2つの意味があったのです。

どういうことかというと、1つは本物の神です。これは自らも信仰する大切なものです。もう1つの神はローマ教皇です。神の代理人であることを自ら任じている教皇は当然、王よりも上の存在ということになります。

しかし、王からすれば教皇も同じ人間ですから彼らに従う理由などありません。ローマ教皇は自分の権力を脅かす邪魔な存在でした。ですから、王と教皇の間は常に緊張感があり、カノッサの屈辱や教皇のアヴィニョン捕囚、シスマ（教会大分裂）などの事件がたびたび起きるのです。

教皇権と王権。これはどちらが上なのか？　ヨーロッパでは長い間、その議論が続いていました。

そこに1つの答えを出したのがイギリス・スチュアート朝のジェームズ1世（1566～1625）で、彼は王の権力は神から直接授かったものだとする「王権神授説」を展開します。

ジェームズ1世が主張する、「直接、神から授かった」という意味は、「ローマ教皇から授かったのではない」という意味で、ここを理解しておかないと王権神授説の真意は見えてきません。教皇権よりも王権のほうが上である。少なくとも神の代理人という意味では同等であるから教皇の権威に王がひれ伏す謂れなどない、という考え方です。

王権神授説は絶対王政を支えるための根拠となります。絶対王政を簡単に言ってしまえば、王は神の代理人であるから議員の意見など聞く必要もなく、議会を開く必要もない。国民から自由に税金を取ってもいいというもので、王がやりたい放題をしようとするときの根拠となっています。

ただ、私たちがここで注目しなければいけないのは、王がやりたい放題をしようとするときにも神の存在を必要としたという点です。そのために、ジェームズ1世は『自由なる君主国の真の法』という本まで書いています。

神の存在とそれを支える論理。ヨーロッパ人の行動原理の根っこには常にこれがあるのです。

もちろん、オランダ独立戦争においても、オランダ人たちは「神の存在とそれを支える論理」で武装しました。この論理的武装によって王やローマ教皇と対峙することができたのです。

神の存在とそれを支える論理

では、オランダ人がつくりあげた「神の存在とそれを支える論理」とは何でしょうか？

その立役者が社会学者フーゴー・グロティウスでした。少年時代から天才のほまれ高かったグロティウスは1583年に生まれて1645年に死んでいます。オランダ独立戦争は1568年から80年間に渡って行われた戦争ですから、グロティウスの生涯は常にオランダ独立戦争とともにあったということです。当然ながら、彼は戦争について深く考えることになります。そして著したのが『戦争と平和の法』です。

この著書の中で彼は「自然権」という概念をつくりだします。「自然権」とは人間が生まれながらに与えられた権利です。自由に生きる権利、差別を受けない権利、財産を守る権利。自由、平等、所有。こういったものは国家が法を作る前から存在していたもので、すべての人間が等しく持っている権利だ、というものです。

別の言い方をすれば、この権利は神から直接与えられたもので、国家の法の上に神の法がある、というものです。また、この権利は、ローマ教皇の権威よりも優先できるのです。

これがあったからこそ、オランダの人々は80年間も戦いを続けることができたのです。

逆に言えば、それぐらいヨーロッパ人の精神は神とともにあるのです。

誰がための国家か

国家の法の上に神の法がある。

では、国家は何のためにあるのでしょうか？

ヨーロッパ人はここにも理屈をつけます。

１５８８年に生まれたイギリスの哲学者トマス・ホッブズは考えます。そもそも自然状態の人間は、欲望のままに殺し合い、食い合うような野蛮人だろう。まるで「万人の万人に対する戦い」をしているようだ、と。

しかし、この戦いは自分の生命を守るための自然権の肯定であり、神に許された行為です。ですから、欲望のままに殺すことは自然権として正しいと言えるでしょう。しかし、それは同時に自分の自然権を侵害される可能性つまり突然殺されることも肯定することになり、安心して生きることができません。

混乱と暴力の社会から安寧を得るには互いに自然権を規制しあい、１人の主権者に権利を移譲すればいい。この移譲を契約といい、ここにホッブズは「社会契約説」を打ち立てるのです。

つまり、王様に権力を与えたのは神ではなく、国民だということです。

ホッブズは主著の『リヴァイアサン』の中で、国家権力は聖書に出てくる怪物リヴァイアサンのように強いほうがいい、強ければ強いほど移譲したときの安心につながるのだから、と主張します。

しかし、これに異を唱えたのがイギリスのジョン・ロックです。１６８８年の名誉革命の1年後に『統一論』（『統治二論』とも）を書いた彼は国家権力が暴君化した場合はどうすればいいのか？　について考えます。

その場合は契約を一旦破棄して、別の国家権力を選ぶ権利が国民にはあると説いたのです。これが「革命権」です。

革命権を一言で言えば、武装蜂起して国王を倒す権利です。

多くの日本人が誤解しているのは、この「革命権」を単なる人権の1つ、自然権の1つだと思っている点です。それはまったくの間違いです。

人々がなぜ、国王を倒しても無罪なのかといえば、革命権を生まれながらに持っているのではなく、「神によって」革命権を与えられているからです。

大切なのは「神の存在」です。「神の許し」があるから国王を殺していいのです。

超国家勢力の誕生

革命は神から与えられた権利である。

国家の法の上に神の法がある。

こういった考え方をするのもカルヴァン派の特徴と言っていいでしょう。事実、革命はカルヴァン派の市民の中から生まれてきたのです。

イギリスのピューリタン革命（1642～1649年）はゴリゴリのピューリタンであったオリバー・クロムウェルが先導し、最後は国王チャールズ1世を処刑（1649年）しています。アメリカ独立戦争もピューリタンによるボストン茶会事件（1773年）が皮切りとなって始まります。フランス革命（1789年）はそんなアメリカの独立戦争に刺激されて起きています。さらにフランスの二月革命（1848年）をきっかけにしてヨーロッパ中に革命の嵐が起きました。オーストリアやロシアに抑圧されていたイタリア、ボヘミア、ハンガリー、ポーランドなどが独立の動きを強めたのです。

これらの革命を支えたのもカルヴァン派の商人、市民たちでした。勤勉さによって資産を蓄積した彼らは権力に対抗する力を持ったのです。

この観点から見れば、まさにカルヴァン派の勤勉さは自由のための翼でした。彼らの勤勉さが生み出した資産、資本主義が王権や教皇権を倒したのです。

つまり、資本主義は神によって正しいとされたと言っていいのです。

しかし、この資本主義は新たな権力者もつくったのです。王権とも教皇権とも違う権力、それどころか、こういった既存の権力を凌駕(りょうが)する権力を持つに至った超権力、それが超国家勢力です。

代表的な例が前章でも紹介した、アヘン戦争を可決したイギリスの議会を動かした人々です。貿易会社、製薬会社ほかの元祖グローバル企業たちが議員たちに圧力をかけて国の決定に影響を与えています。まさに国を超える力を持つ勢力＝超国家勢力と言っていいでしょう。

大航海時代の終わり頃、近世から近代に向かう時代にアヘン戦争は起きました。イギリス議会がアヘン戦争を正当な戦いと認めてしまったためです。資本つまりお金によって、国家の法を捻(ね)じ曲げてしまったのです。

この超国家勢力は現代になるとさらに大きな権力を持つに至ります。

例えば「世界経済フォーラム（ＷＥＦ）」です。通称ダボス会議と言われるＷＥＦを主宰するのはどこかの超大国でも国際連合のような世界機関でもありません。単なる企業の集合体です。そこに各国の首相や大統領、財務大臣が集められるのです。国の代表がなぜ、私企業の役員たちに呼びつけられ、ありがたくアジェンダ（実現目標）をいただかなければいけないのでしょうか？

各国の代表も代表です。なぜ、私企業が提示するアジェンダを持ち帰って自国の政策に組み込むのでしょうか？　ＳＤＧｓ（持続可能な開発目標）や太陽光発電を必要以上に尊重する理由がどこにあるのでしょうか？

現在は超国家勢力によって世界が動かされている時代になってしまっているのです。つまり、神が認めた資本の蓄積を是とする世界が、大航海時代をきっかけに世界中に押し付けられ、多くの国々、多くの人々がそれを受け入れている状況になっているのです。

そんな世界になってしまっているから、大して死者も出ていない新型コロナウイルスを異様に怖がったコロナパンデミックが起きたのです。安全性が確保されていないコロナワクチンを世界各国の政府が争って買い、国民に複数回打てと命じたのです。

あるいは、CO_2の削減が世界の目標となり、ガソリン車から電気自動車への移行が強制的に行われ、世界各地で代替エネルギー騒動が起きているのです。

あまりにも一方的でおかしな理屈を押し付けてくる人々がいて、国を運営する人々が唯々諾々（いいだくだく）とそれに従っているのです。

私たちはそれをまったく理解できず、何が起きているのかもよくわからず、気がつけば、自分たちの財産を奪われているのです。

まるで、バスコ・ダ・ガマに襲われた東南アジアの人々のようにです。

まるで、イギリス東インド会社の計略に引っかかって土地と文化を奪われたインドの人々のようにです。

もう一度、歴史を見直してください。大航海時代といまと何か違っているでしょうか？

資本主義とは「国民よりもお金が上」

ここで少し、資本主義について再考したいと思います。

ヨーロッパの人々は、資本主義は神に許された行為だと考えています。少なくともカルヴァン派の流れを汲む国々では資本主義は教義的に是です。

しかし、物事には限度があり、彼らが教義的に是と考える資本主義であっても行き過ぎれば否となるのは明らかです。それがアヘン戦争でした。

あのとき、イギリス議会の約半分が反対しました。結果的に過半数には満たなかったものの、ほぼ半数が「そんな戦争をしてはいけない」と考えたのです。これが民意というものです。

ところが、これをひっくり返したのがアヘン貿易にお金を出していた人々です。彼らは議員たちを買収し、つまり、お金をばら撒くことによって「民意を捻じ曲げ」ました。

この瞬間に、資本主義は神に許された行為ではなくなったのです。議員を買収することを再投資とは絶対に言いません。

この瞬間に、資本主義は民意の最大の敵になったのです。

なぜなら、「資本主義とは国民よりもお金が上である」ということを広く世間に示したからです。

民主主義の最大の敵は独裁主義や共産主義、ポピュリズム、リベラルなどといったものではなく、資本主義なのです。

それを大航海時代の終わりに歴史が証明したのです。

超国家勢力は神の御心に従っているから強く怖い

私は「はじめに」で、「歴史を面白おかしく紹介するだけにとどまるつもりはありません。」と書きました。

歴史とは何かを改めて考えてみることで、

「なぜ、現代は16世紀のように貧富の差が広がり、持つ者と持たざる者がくっきりと分かれ、人間を奴隷のように従わせる勢力が力を持ち続けているのでしょうか？」

「なぜ、いつまで経っても戦争は終わらず、超国家的存在の力は増し続けるのでしょうか？」

「本書はその謎を解き明かしたい」

と書きました。

その謎の答えの１つが「民主主義の最大の敵が資本主義だから」です。資本主義とはヨーロッパ人にとっては神に許された行為であり、「世界経済フォーラム」をリードする人々にとっては、それこそが神の意志に適う行為だと思ってやっているものです。

ＷＥＦの重要なメンバーの１人であるビル・ゲイツ氏はたびたび「いまの世界の人口は多すぎる」と語ります。アフリカの出産率を低くすることを本気で考えています。

ＷＥＦの顧問を務める歴史家ユバル・ハラリ氏も「世界人口の大半は必要ない。現代の技術があれば、労働者や軍人に取って代わることが十分可能だ」と語っています。

彼らは本気で世界の行く末を心配しているのでしょう。そのためにCO₂の削減を提唱し、コロナワクチンを製造する製薬会社に投資し、小型原子力発電会社のオーナーになったりしているのです。

こういった行為はお金のためにやっている部分もあるとは思いますが、その動機のほとんどは神の御心に適うためにやっているのではないでしょうか?

まず間違いなく、彼らは最後の審判で天国に行けるであろうことを確信して「世界人口の大半は必要ない」といったことを主張しているのです。

つまり、善意です。

つまり、信仰です。

ちまたでは、超国家勢力あるいはディープステートなどと言われる勢力が世界を牛耳り、私利私欲のために世界の富を貪っているという言い方をよくされますがそれは大きな誤解です。

歴史をしっかり振り返ればわかるでしょう。

彼らは神の御心に従っているのです。悪の所業をしているなどとはこれっぽっちも思っていません。私たちから見れば、他国の人々の生活を、他国の人々の文化を破壊しているではないか！　と糾弾すべき所業ですが、インド洋やアメリカ大陸、清国で殺戮と強奪を繰り返しながら、それを神のご意志と言えてしまう人々なのです。神の国を創るためには整地が必要だという感覚でやっているはずなのです。

だから、強いのであり、だからこそ怖いのです。

そんな人々がいま私たちの目の前にいるのです。

遺伝子操作したコオロギを手に持って、「これが君たちのこれからの食糧だ」と言っているのです。

超国家勢力が信じる神とも対抗できる「革命権」の行使こそ

私たちの敵とはこういう人々なのです。

悪魔的な考えを持っているわけでもなく、神に忠誠を誓ったどちらかといえば、善人といっていい人々でしょう。

ただし、私たちとは目的が違うのです。私たちの多くはこれまで通りの生活あるいは少し良い生活ができればいいと思っている程度です。

しかし、彼らはそれでは世界は滅んでしまう。人口削減はどうしても必要で、それをするのが資産を多く持つ＝神に選ばれた私たちの役目なのだ、と本気で思っているのです。

彼らの後ろには神がいるのです。

そんな彼らと対抗しなければならないとなったら、私たちも神を持たなければならないでしょう。あるいは神に匹敵する精神的支柱です。オランダ独立戦争を戦ったオランダ人のようにです。

しかし、それはどんな精神的な支柱なのでしょうか？

答えはすでに本書に書いています。

オランダ独立戦争の精神性を支えたグロティウスはなんと言ったでしょうか？

彼は「自由権」を提唱しました。そして、ジョン・ロックはその「自由権」の中には「革命権」があると言いました。「革命権」とは武装蜂起して国王を倒す権利と先ほど説明しましたが、現代でいえば、超国家勢力あるいは超国家勢力に従う自国の政治家たちを倒す権利と言っていいでしょう。

そして、この権利は神から与えられたもので、超国家勢力が信じる神と十分に対抗しうるものなのです。

ここで大切なことは、一神教を信じていない私たちが宗旨変えをして、「革命権」を信じて戦えと言っているわけではない、ということです。「革命権」は超国家勢力が信じている神とも対抗できる論理であるから、それを理解し、全面に押し出すことで、彼らの神と戦うことができると言っているのです。

これまで見てきたように、ヨーロッパ人の戦いには神と論理が必要なのです。そこで勝つ、もしくは対抗できなければ、狂信者たちとは戦えないのです。

バスコ・ダ・ガマに踏みにじられたインド洋の人々のように後手後手に回ってやられてしまうだけです。

現状、すでにかなり後手に回っていますが、それでもまだ戦い方はあると思います。それが「革命権」です。

では、具体的にどうするのかといえば、まずは選挙です。投票行動を変えるのです。ワクチンに賛成した議員、コオロギ食を勧める議員、ＷＥＦとつながりを自慢する議員、大企業とつながりの深い議員には絶対に投票しないということです。

逆に、そういったものに反対する議員を積極的に応援することです。

少し国内の話をすれば、2023年2月、三菱重工が国産ジェットのMRJの開発を断念すると発表しました。国産ではなく、イギリス、日本、イタリアの連合でつくり、本部はイギリスに置くことになったのです。「日本にはミサイルや戦闘機の独自技術は持たさん。特に飛行機は持たさん」と言うヨーロッパ人の思惑の結果です。

しかし、おかしいのはなぜ、三菱重工はヨーロッパのそんな横やりに従うのでしょうか？

答えは三菱重工の株主がすでに外資になっているからです。

これは三菱重工の有価証券報告書を見ればわかります。従業員の持ち株1・6%を引いても30%超は外資です。報告書の下のほうに三菱、みずほなどのいわゆる預かり口座が並んでいますが、そもそも日本の銀行もいまは30%超が外資になっているのです。

いまは日本の全上場企業が外資系のものになっています。そして、彼らと本物の外資系グローバル企業が集まるところが世界経済フォーラムであり、だからこそ、首相も財務大臣も某ワクチン打て打て大臣も喜んでダボスに行くのです。

これが世界の現状であり、日本の現状です。

資本主義の台頭によって世界から民主主義が駆逐あるいは従属化されてしまったのです。

こういった状況を見ていくと、この世界にはやはり国を超えた力＝超国家的な勢力が存在すると言えてしまうでしょう。そして、その存在の根っこには、本書のテーマである大航海時代のさまざまな出来事があるのです。

武器を売るために戦争を行う人たちがいます。
薬を売るために病原菌を作っているように見える人たちがいます。
その根本は変わってはいません。いえ、それ以上です。
では、そんな世界をどうすればいいのでしょうか？
答えは簡単です。「自然権」の行使です。「革命権」の行使以外にないのです。

おわりに

最後にグレートリセットの本当の意味についてお話ししましょう。

グレートリセットとは世界経済フォーラム（ＷＥＦ）の２０２１年の年次総会のテーマで、新型コロナウイルスが席巻したあとの世界をどのようにリセットしていくかというものでした。

当時、世界はロックダウンによって経済が滞り（とどこお）、体力のない中小企業や街の飲食店は次々と潰れ（つぶ）、多くの人間が職を失い、収入の道を絶たれていました。

あの頃の人々の願いは「早く元の生活に戻りたい」「新型コロナウイルスが席巻する前の生活に戻りたい」でした。ですから、「リセット」という言葉に人々は惹かれ（ひ）たのではないでしょうか？

しかし、ＷＥＦが推進する「グレートリセット」は普通の人々が考える「リセット」とは違うものでした。

彼らが考えていたのは単なるリセットではなく、「大いなるリセット」であり、その意味することは「大きな意味で世界を元に戻す」ということだったような気がしてならないのです。

では「大きな意味＝グレート」とは一体何を指すのでしょうか？

それは、本書をここまで読んでいただいた読者であればもうおわかりでしょう。新型コロナウイルスが席巻する前に戻すのではなく、「大きく世界をリセットする」つまり、大航海時代の世界にリセットするという意味です。

大航海時代とはどういう時代だったでしょうか？

大英帝国はインド、アメリカ、中南米、アフリカの土地を押さえていました。ポルトガルとスペインは中南米、東南アジアを押さえていました。フランスもアメリカ、インド、アフリカに植民地をつくろうとしていました。15世紀から20世紀にかけて世界は10人ほどのキングの土地だったのです。別の言い方をすれば、全世界はいまのG7が押さえていたと言ってもいいでしょう。

「グレートリセット」とは、世界をこの時代にまでリセットしようというものではないかと私には思えてなりません。王や貴族や宗教指導者など、「ヨーロッパの権力者たちがアジアの海やアメリカ大陸で好き勝手ができた、あの古き良き時代にリセットしようじゃないか」というのがグレートリセットの正体なのかもしれないのです。ただし、ただ単に王侯貴族の世界に戻そうというわけではありません。昔のキングの権力を取り戻そうというものではなく、現代のキングに権力を集中しようというものです。

では、その現代のキングとは誰でしょうか?

それが、ワールド・エコノミック・フォーラムに集う現代の経済覇者たちなのです。

これが「グレートリセット」の正体です。

フェアな世界

いまの世界がなぜ、住みにくくなり始めているのか?

グローバルな多国籍企業が国家の上に君臨し、私たちの生活習慣、食習慣などをなぜ変えようとしてくるのか?

それは現在の世界が経済の論理で動いてしまっているからです。

お金持ちが正しい、お金はフェアである、という理屈がまかり通っているからです。

中には「そんなものは金持ちのワガママじゃないか！」「金持ちなら何をしてもいいのか！」と反論する人もいるでしょう。

しかし、グレートリセット側の主張はこうです。

「王や貴族は世襲だから、その世界に戻すのは確かにアンフェアだろう。しかし、お金持ちには頑張れば庶民でもなれるはず。だから、グレートリセットはフェアなんだ」

大航海時代の世界を牛耳(ぎゅうじ)っていた王たちは確かに世襲でした。ですから、その時代にリセットするというのであれば、それは確かにアンフェアです。

しかし、「誰でも経済覇者になれる現代ではお金持ちをキングにすることでフェアな世界をつくることができる」という主張は本当にそうなのでしょうか？


実はこれは詭弁(きべん)です。

なぜなら、一度、お金持ちになると必ず権力を持つようになります。市場を独占し、社会を牛耳り、政治家を意のままに操ることができるようになります。

すると、お金持ちは自分に都合のいいルールをつくり始めるのです。政治家を動かしてお金持ちだけが蓄えた富を減らさない法律をつくっていきます。税金を払わなくていい仕組みもつくっていきます。

これをされたら、お金持ちは世襲の王侯貴族のように、未来永劫お金持ちであり続けることができるでしょう。

つまり、経済覇者がキングになる世界も本当はアンフェアなのです。

そのアンフェアな世界が現代です。

いまや、お金持ちはその富を使って、国家を超えた力を得るまでになっています。

現代社会がなぜ、これほどまでに閉塞感があるのかといえば、お金持ちがつくったルールによって私たちの生活が捻じ曲げられているからです。

その息苦しさこそ、バスコ・ダ・ガマやイギリス東インド会社に蹂躙されたインドやアジアの人々が味わったと同じものと言っていいでしょう。

では、この社会を書き換えるにはどうすればいいのでしょうか？

社会契約を一旦破棄するしかないのです。

それはまさに、歴史を見ればわかるでしょう。

なぜ、大航海時代に、自然権の考え方が生まれたのかは、まさにあの時代に王権の横暴があったためです。

あの時代の人々が「革命権」を駆使したように私たちもそれを駆使しなければいけないのです。

といっても、本当に革命を起こすべきか、といえば、それは違います。

もちろん、それができれば一番なのでしょうが、革命はそんな簡単にはできません。

どうやって人を集めるのか？　武器は何か？

また、人々が「もう革命しかない」と思い決めるための出来事やきっかけも必要でしょう。そのとき、彼らを引っ張っていくリーダーの存在も不可欠です。

天の時、地の利、人の和、とくに人の強いつながりが揃わなければ、革命など起こすことは通常できないのです。

そんな中で私はいま「リーダー」を育てるための試みをしています。

投票行動を変えるだけでなく、一番大事な人を育てていこうと思っています。

かつて、横暴な社会にノーを突きつけてきた革命権。この権利を駆使して、世界をより良く変えていきましょう。

あとがき

ここまで書いてきて、自分自身が歴史資料から読み取ってきたグローバル企業の論理では、現実のグローバル企業の行動が説明できていないとのモヤモヤ感が残る。というより、本書の書き出しから持ち続けているモヤモヤだ。読者の皆さんも感じているのではないか。

資本主義が超国家権力を生み出した。これは間違いない。資本主義は民主主義の最大の敵である。これも真実だ。全世界の富の大半を0・001％の人が支配してきた。ロシアや中国、資源国がこれに反旗をひるがえしたのに対抗して、特に通貨発行権の再独占などを通してグレートリセット名目で、戦争や経済制裁等まで経由して中世の世界秩序に戻そうとしてきたのも事実だ。結果は失敗で、2023年3月の比率では、G7先進7カ国の全世界GDP比率が30％に落ち込んだのに対して、BRICS5カ国の合計だけで全世界

GDPの31・5%とG7を抜いた。2030年には50%を超えると予想されている。

米シリコンバレー銀行（SVB）や米シグネチャー銀行の経営破綻（はたん）などの一連の米金融市場の混乱は、米金融当局などの迅速な対応を背景に落ち着きを取り戻したかのようにも見える。中小米銀からの預金流出は、両銀行が破綻した週に過去最大の1963億ドルに達したものの、足元でさらなる流出が続く事態には陥ってはおらず、金融市場の混乱は落ち着いたように見えるが、金融政策が正常化に向かう中で新たな火種が燻（くすぶ）り出す可能性は依然として高い。

そのことを裏付けるかのように、2023年4月24日に決算を発表したファースト・リパブリック・バンク（アメリカの地方銀行の一つ）で、2022年末から2023年3月末までで4割超（約10兆円）の預金が流出したことが判明した。予想以上の預金流出を受けて、25日の米国株式市場では同行の株価は50%あまり下落した。

IMFが世界経済見通しと同時に発表した国際金融安定性報告書（GFSR）では、米銀が保有する米国債およびその他債券の含み損を自己資本から控除すると、資産１００億ドルから３０００億ドル規模の中堅以上の米銀の約９％が事実上の資本不足に陥っていると計算している。一気に危機が広がることは避けられたとしても、ゆっくりと、真綿で首を絞められるような危機が忍び寄っている。ウォール・ストリート・ジャーナルは「スローモーション型の銀行危機」と表現している。大きな流れでは米国から資金が確実にドル以外の通貨に流出している。

中国の昨年末時点の外貨準備高は３兆１２８０億ドル（約４００兆円）。過半を米国債が占める。金の保有残高は１１７２億４０００万ドルに過ぎないが、着実に増やしている。中国の狙いは、ドル一極集中の通貨覇権に人民元と金で対抗するためである。金は特定の国や組織が発行しているわけではなくデフォルト懸念がない。世界最大の基軸通貨であるドルと逆の相関関係にあり、米国金利が上昇すると金価格は下がり、米国金利が下がると金価格は上がる傾向がある。中国は米国債に代わる外貨準備として金を集めている。

中国には統計に出てこない金の水面下の調達先の一つとして、ウクライナ侵攻で孤立を深めるロシアがある。日米などから経済制裁を受けるロシアから人民元で金を買っているという情報がある。米中の対立が先鋭化し、中国が米国債を一気に売却すれば、米国金利は急騰し、米国経済には大打撃を与えることができる。ロシアだけでなく中国も敵に回したグレートリセットは失敗し、米経済の生殺与奪の権に中国が王手をかけるに至った。

そのような中、副反応で全世界で多くの死亡者を出している新型コロナワクチンを5万人に1人未満しか死者を出していないにもかかわらず、国民すべてにワクチン接種を強要する政策が超国家的に世界で進められていた。結果、我が国では国民の8割が接種し、私の周辺でも多くの人が亡くなった。にもかかわらず進めてきた人物たちは、ワクチン死者をコロナ死者と数えいまだに大手を振っている。ワクチン接種で免疫力が低下するのでワクチン死者は高い確率でコロナ陽性だからだ。

次に、自分たちが戦争で引き起こした食糧危機を名目に昆虫食を国民に推している。例えば、コオロギはもともと漢方では不妊目的で処方されていた。今はそれを指摘すると〝陰謀論〟とされる。明らかに世界的に人口削減が超国家的に進められている。

本書は〝陰謀論〟というレッテルが貼(は)られるリスクを避け、歴史的事実だけを中立な立場で書いたつもりである。そして、その立場は読んでいただいたように、奴隷資本主義は神の名で正当化されてきたというものだ。ただ、奴隷資本主義の推進には大量の奴隷人口が前提だ。だから、人口を減らすことは本質的に矛盾する。

彼ら、グローバリストの論理は、食糧危機は経済制裁でロシアから肥料が入ってこないからとか、牛のゲップのCO_2で地球環境を壊すから牛を殺すとか、自己矛盾の自作自演ばかりが目につく。電気自動車は中国でのリチウムイオン電池製造時のCO_2負荷をEVを10万キロ走らせても回収できないというデータは自動車メーカーが過去に何度も出している。にもかかわらず電気自動車をCO_2削減論理で推進する。

それでも人を殺したいとか、不妊にしたいという論理はどう考えても「神の論理」とは合わない。

そこで、私には一つ仮説がある。まさに陰謀論と言われる仮説なので、本書の終わりに披露しよう。

私は、これらグローバリストたちの行動の裏には悪魔との契約があると思っている。本当に利他的でフェアな人たちはそう簡単に大金持ちになったり権力者にはなれない過当競争社会が現代だ。そこで世界トップレベルの大金持ちになったり、超国家的な権力をも持つに至るのは、本文で書いてきたような資本主義の後ろにある「神の論理」を大きく逸脱する「悪さ」を彼らがしてきた可能性が十分にある。

簡単に言うと、それぞれの宗教で間違いなく地獄に行く〝悪さ〟で権力や金を掌握してきたということだ。したがって、彼らのゴールは、まずは地獄に行かないように不老不死だ。実際、世界の大金持ちは揃(そろ)って不老不死研究にお金を注ぎ込んでいる。この世は彼らにはどんな邪悪な欲望も満たせる〝天国〟なので、死にさえしなければ、地獄に行かないどころか天国にずっといられる。

もう一つは、不老不死が叶わない場合は確実に地獄に行くので、地獄でいい生活をすることだ。地獄のタワマン生活だ。そのためには悪魔と契約するしかない。実際、まったく必要のない戦争を起こし、世界の経済を破壊し、受容体のない幼児にコロナワクチンを打つ人たちは、悪魔と契約しているとしか思えないというのが正直な感想だ。

こういう悪魔と契約した人たちが動かしているとしか思えないのが、戦争と経済危機、結果、食糧難の現代だ。人類すべての人たちのカロリーと必要栄養素を満たすだけの食糧生産性を人類は20世紀中に達成した。にもかかわらず21世紀は人造ウイルスや戦争で死と食糧難が引き起こされ、政府が本当に昆虫を国民に食べさせようとしている。

これまでの超国家権力による帝国主義は、金融リセットまで含めて、本書で紹介した「神」の奴隷資本主義でその類型を理解することができる。ただ、現在進行中のグレートリセットでは、今は「神」は完全に「金」に取って代わられ、富と通貨発行権を独占するごく一部以外の人類を民主主義誕生以前の独裁空間に戻し、生活水準を中世以前にリセットする。昆虫食とＩＣチップによる完全管理は、中世以前以下の奴隷空間になるだろう。

世界経済フォーラムは、「グレートリセットが遅れたので2030年アジェンダに向けて世界の市民管理をさらに強化する」と2023年4月末に発表した。

これに対抗するには、私たち自身が彼らが見せる煩悩(ぼんのう)最大化世界の魅惑に絡(から)め取られず、自分の煩悩はほどほどにして、自分以外の人たちの幸せをよく考えることだ。自分の煩悩はなくさなくてもいいのでちょっと横に置く、そして、できれば身近な周囲だけでなく、より多くの人たちの未来のためにできることを探す。可能であれば自分自身がリーダーになり、そういう世界に周囲を導く。リーダーは自己犠牲が前提だ。それができない人はリーダーになってはいけない。だが、騙(だま)された自己犠牲も問題だ。例えば、周囲の人のためにワクチンを打てという論理はまったくの嘘であったことは既に証明された。

正しい自己犠牲で生きる次世代のリーダーたちには、何と言っても深い知識が必要である。そしてその知識を検証し続ける姿勢が必要である。本書はそういう思考過程の例としても書いたつもりである。

これからますます恐ろしくなる可能性があるこの世界を生き抜くための、皆さんの手助けになればと真摯(しんし)に願いつつ、ここで筆を擱(お)く。

苫米地英人

[著者略歴]

苫米地 英人（とまべち・ひでと）

1959年、東京都生まれ。認知科学者、計算機科学者、カーネギーメロン大学博士（Ph.D）、カーネギーメロン大学CyLabフェロー、ジョージメイソン大学C4I&サイバー研究所研究教授、公益社団法人日本ジャーナリスト協会代表理事、日本外交政策学会会長。マサチューセッツ大学コミュニケーション学部を経て上智大学外国語学部卒業後、三菱地所財務担当在籍のまま、イェール大学大学院計算機科学科並びに人工知能研究所にフルブライト留学。その後、コンピュータ科学の世界最高峰として知られるカーネギーメロン大学大学院に転入。哲学科計算言語学研究所並びに計算機科学部に所属。計算言語学で博士を取得。徳島大学助教授、ジャストシステム基礎研究所所長、通商産業省情報処理振興審議会専門委員などを歴任。

超国家権力の正体

2023年7月1日　第1刷発行

著　者　　苫米地 英人

発行者　　唐津 隆

発行所　　株式会社ビジネス社

〒162-0805　東京都新宿区矢来町114番地 神楽坂高橋ビル5階
電話　03(5227)1602　FAX　03(5227)1603
https://www.business-sha.co.jp

〈装幀〉常松靖史(チューン)
〈本文組版〉メディアタブレット
〈印刷・製本〉大日本印刷株式会社
〈編集協力〉中村カタブツ
〈営業担当〉山口健志
〈編集担当〉本間 肇

ISBN978-4-8284-2481-1